Arena-Taschenbuch
Band 2528

Willi Fährmann

Das Jahr der Wölfe

Auf der Auswahlliste zum
Deutschen Jugenbuchpreis

Arena

*Von diesem Buch liegen Übersetzungen vor ins Afrikaans,
Dänische, Englische, Italienische, Niederländische,
Schwedische und Spanische*

Die Deutsche Bibliothek – CIP-Einheitsaufnahme

Fährmann, Willi:
Das Jahr der Wölfe / Willi Fährmann.
- 10. Aufl. - Würzburg: Arena, 1995
(Arena-Taschenbuch; Bd. 2528)
ISBN 3-401-02528-7
NE: GT

———————

10. Auflage als Arena-Taschenbuch 1995
Gesamtauflage: 218.000 Exemplare
© 1962 by Arena Verlag GmbH, Würzburg
Alle Rechte vorbehalten
Reihenkonzeption: Karl Müller-Bussdorf
Umschlagillustration: Klaus Steffens
Gesamtherstellung: Westermann Druck Zwickau GmbH
ISSN 0518-4002
ISBN 3-401-02528-7

1

»Hier ist es.«

Der Junge verharrte und hob seine Angel wie einen spitzen Speer.

Der Sommer reichte heiß und hoch bis in den blauen Himmel. Drei dicke, weiße Wolken segelten faul im flauen Wind, der vom anderen Ufer des Flusses her dann und wann über das Wasser sprang. Der träge Strom erzitterte leise und schob seine krause Gänsehaut weit in die Bucht hinein. Die Weiden regten sich und fächelten müde mit ihren lanzenschmalen Blättern, und ihr Bild im Spiegel des Wassers hüpfte und glitzerte im prallen Licht der Sonne.

Konrad beugte sich über das Ufer und stand steif und starr. Er kniff die Augen zu einem schmalen Spalt zusammen. Der Schatten zeichnete eine schwarze Falte in die Stirn. Sein Blick flog über die stille Wasserfläche bis zur Strömung hin. »Hier war es«, bestätigte er leise. Er spähte zum niedrigen Erlengebüsch hinüber. Dort im tiefen Wasser hatte er ihn springen sehen. Hoch hinaus schoß er. Der schwere Leib glänzte in der roten Abendsonne auf und zerriß platschend die Wasserfläche. Das klang hart und spritzte, als hätte er mit seiner Holzpantine in den Schlamm geschlagen. Die Wellenkreise leckten bis ans Ufer. »Mein Karpfen«, sagte Konrad seitdem. Er zitterte, sooft er an den Fisch dachte. Und heute wußte er: Er würde ihn fangen.

Er wandte sich um und rollte die Angelschnur von der Rute.

»Die Gerte ist richtig für dich«, lächelte er und bog ihre Spitze.

»Kein Bambus, kein Pfefferrohr. Aber zäh. Das hat der alte Janosch gesagt. Zäh bis in die Spitze. Sechs Jahre alt und im Dickicht gewachsen. Leicht und schlank und zäh. Fichten, die sechs Jahre im Dickicht hochschießen, sind zähe Angelruten. Zäh genug für dich, mein Karpfen. Und erst meine Schnur!«

Er prüfte sie zwischen den Fingerspitzen.

»Von Kostrachs Schimmel. Einzeln aus dem Schweif gezupft mit spitzen Fingern. Neununddreißig lange, silbrige Pferdehaare. Bei jedem Haar hat das Tier die Ohren an den Kopf gepreßt und viermal nach mir geschlagen, mein Karpfen, alles für dich. Es schmerzt den Schimmel nicht mehr, als wenn ich mir selbst ein Haar auszupfe, hat Janosch gesagt. Es ist fast nichts, weißt du. Ich habe es vorher bei mir versucht. Neununddreißig schimmernde, seidendünne Haare zu einer Schnur gedreht, wie Großvater es mir verraten hat. Es ist eine geheime Kunst. Aber Großvater versteht sich auf Künste. Er hat mir gezeigt, wie die Haare geschlungen werden. Für dich, mein Karpfen, alles für dich.«

Konrad legte die Rute ins hohe Gras und schob sich das Ende der Schnur zwischen die Lippen.

Mit einem leisen Wind flog ferner, dumpfer Donner über den Fluß. Die Russen? Hört man sie schon? Oder zieht ein Gewitter herauf? Scharf blickte er zum großen Wald hinüber. Keine dunkle Wolke war zu sehen. Also doch die Russen?

Er griff in die Tasche und schrie leise auf. Der Haken hatte sich in seine Fingerkuppe gespießt. Vorsichtig zog er ihn heraus und sah neugierig auf die Kuppel roten Blutes, die sich durch die Haut drängte.

»Tut weh, so ein Haken. Sehr weh.«

Behende schlang er die Schnur durch die Öse. Aus der ledernen Patronentasche an seinem Gürtel nahm er eine gekochte Kartoffel, schob die Schale ab und zog geschickt den Haken in den gelben Köder, bis keine Spur mehr vom blanken Eisen zu sehen war.

»Die wird dir schmecken.«

Er faßte die Gerte mit der rechten Hand und hielt den weichen Köder in der linken. Vorsichtig hob er die Spitze an. Sie bog sich ein wenig. Wie ein dicker Regentropfen schlug der Köder auf das Wasser und versank. Der lange Schwimmer, den Großvater ihm aus brauner Rinde geschnitzt hatte, stellte sich auf.

Die Wellen hatten sich verlaufen. Konrad stand noch eine Weile regungslos. Dann setzte er sich ins Gras. Er stellte die Füße mit den Holzpantinen ins brackige Uferwasser. Die Sohlen sanken ein wenig in den Schlamm, und das braune Deckleder sog sich voll Wasser. Es wurde schwer und schwarz. Locker hielt er die Rute in den Händen. Nur seine Augen verrieten Spannung und Achtsamkeit. Unablässig waren sie auf den Schwimmer gerichtet.

»Beiß nur. Ich werde dich schon zwingen. Albert meint ja, ich schaffe es nie. Karpfen seien mißtrauisch und erfahren. Ohne Käscher und Netz gelinge es nicht, selbst wenn du beißen würdest. Aber beiß nur erst. Ich weiß schon, wie ich es dann mache. Ich habe doch die pfündige Plötze gezogen und auch den Blei von fast einem Kilo. Ich werde dich schon ans Ufer bringen. Beiß nur fest zu.«

Eine Libelle sirrte vor dem Schwimmer. Ihr Hinterleib

glänzte blauschwarz. Die dicken Stielaugen prüften das Rindenstück lange, bevor das Insekt es mit den Beinen faßte. Einen Augenblick ruhten die Flügel gläsern in der Luft. Schon schoß sie wieder davon.

»Ob sie von deinem Zupfen verscheucht wurde, mein Karpfen?«

Doch kein Wellenkräuseln bestätigte Konrads Hoffnung. Fernes Grollen rollte wieder über das Wasser, lauter jetzt und heller.

»Doch ein Gewitter. Gewitter machen die Fische toll. Also komm, laß mich nicht so lange warten. Beiß zu.«

Wenn Konrad schärfer in die Ferne lauschte, dann vernahm er hinter dem Donnerrollen des Wetters, das sich jenseits des großen Waldes zusammenbraute, ein tiefes, unbestimmtes Gemurmel. Das schwand nur selten.

»Die Russen werden kommen«, hatte der Großvater gesagt. Aber Konrad glaubte ihm nicht recht. Olbrischt mußte es besser wissen. Der kannte den Gauleiter aus Königsberg persönlich und hatte drei Söhne an der Front.

Großvater war alt. Was wußte der?

Und wenn sie doch kommen? Dröhnen die Kanonen schon bis hierher? Konrad hob vorsichtig den Köder aus dem Wasser. Die Kartoffel pendelte unberührt. Lediglich die Hakenspitze hatte sich ein wenig herausgehoben.

»Du bist erfahren und mißtrauisch. Wart nur.«

Er zog den Haken zurück und drehte ihn halb. Genau an der Stelle sank der Köder in die Tiefe, an der der Karpfen sich im Sprung gezeigt hatte, golden und schwer.

Über die Wipfel der hohen Fichten schob sich ein schweflig gelber Wolkenrand.

»Beiß, mein Karpfen. Es sind zwanzig Minuten bis ins Dorf. Beiß. Ich habe keine Angst vor Blitz und Donner.

Ich kenne doch ein Stoßgebet. Das hilft immer, sagt Janosch. Ich habe keine Angst.«

Die Libelle war wieder da und stand in der Luft vor dem Schwimmer. Plötzlich versank er schnell und gerade in das schwarze Wasser. Konrads Muskeln strafften sich.

»Mein Karpfen!« Er wußte es, noch bevor er anschlug. »So beißen nur große Fische, ruhig und fest. Ich warte noch. Ich kenne dich. Du hältst die Kartoffel nur lose im Maul. Ich kenne dich.«

Ruhig wanderte die Schnur eine Armlänge dem offenen Strom zu.

»Jetzt gilt es.«

Konrad schnellte den Stab empor. Die Spitze bog sich. Die Schnurr sirrte. Heftig ruckte der Fisch. »Reiß nur. Ich gebe nach. Jetzt habe ich Zeit. Ich weiß schon, wie ich es schaffe.«

Konrad war aufgesprungen. Er hielt die Schnur stramm, folgte aber weich jedem Ruck.

»Ja, meine Schnur ist gut. Zieh nur. Neununddreißig Schimmelhaare. Und ich bin auf der Hut! Nicht unter die Erlen ins Gestrüpp, mein Karpfen. Dort verwickelt sich die Schnur. Hüh!« Konrad verstärkte den Zug und brachte den Fisch wieder in die Mitte der Bucht.

»Komm an die Oberfläche. Ich schleudere dich ans Ufer wie die pfündige Plötze oder, wenn du es lieber willst, schleife ich dich durch den Schlick her zu mir wie den schweren Blei. Oder ich mache es noch ganz anders. Komm nur, komm.«

Doch vorerst schien der Karpfen nicht daran zu denken, das tiefe Wasser zu verlassen. Er ruckte und zuckte. Der Haken saß tief in seinem Gaumen und war neu und aus gehärtetem Stahl.

»Auch ohne Käscher, komm!«

Konrad zog jetzt. Die Fichtenspitze war stark und geschmeidig und bog sich. Der Schwimmer, schon einen halben Meter über dem Wasser, kreiste um die straffe Schnur.

Jetzt ließ das Reißen plötzlich nach. Die Schnur wurde schlaff, und die Spitze schnellte zurück.

»Vorsicht! Was hast du vor? Ich werde dir keinen Gefallen tun. Ich ahne, was du willst!«

Konrad nahm nur zögernd den Stock höher, bereit, beim ersten Anzeichen eines harten Schlages nachzugeben. Kaum spürte der Fisch den Widerstand, da quirlte seine breite Schwanzflosse das Wasser, und er schoß kopfüber in die Tiefe. Konrad folgte mit der Gerte, bis sie mit der Spitze fast die Wasserfläche berührte.

Wind war aufgesprungen und warf höhere Wellen in die Bucht.

»Siehst du, mein Karpfen. Ich werde dich ans Ufer bringen. Du bist schon müde. Hab acht!«

Er zog stärker an der Schnur. Schon mußte der Fisch der größeren Kraft ermattet folgen.

»Paß auf, wenn er nahe am Ufer ist«, hatte Albert gewarnt. »Dann wird er noch einmal wild.«

»Ist nicht Paul Funk vor ein paar Wochen ein Hecht kurz vor dem Ufer durchgebrannt? Aber ich werde dich nicht mehr loslassen. Komm endlich, komm.«

Schweißperlen rannen Konrad aus den Haaren, verfingen sich in den Brauen und krochen über die Nase. Seine Pantinen waren ganz im Schlamm versunken. Hoch zeigte die Rute jetzt in die schwarzen Wolken, die den Himmel mehr als halb überzogen hatten und den Wald finster und das Grün der Fichten dunkler machten.

Da sah Konrad den Karpfen deutlicher als beim Sprung. Er erschrak vor dem großen Fisch, der mit offenem

Maul, ein wenig auf der Seite, dicht unter der Oberfläche dahergezogen wurde. Zittern schoß ihm in die Knie. Fester krampften sich seine Hände um den Angelstock.

»Paß auf, wenn er nah am Ufer ist, paß auf!« hämmerte Alberts Warnung in seinem Kopf.

»Hätte ich doch nur einen Käscher. Aber wart nur!«

Noch zwei Meter.

»Soll ich dich schleudern? Nein, du bist zu schwer. Neunundreißig Pferdehaare können auch reißen.«

Da schwamm der Karpfen dicht unter dem Ufer, seitwärts von Konrad. Jetzt berührte er mit dem goldenen Leib den Grund, ein letztes Aufbäumen. Weiße Gischt peitschte auf.

»Jetzt ziehe ich durch!«

Nur halb hob er den Fischleib aus dem seichten Wasser, dann riß die Schnur. Konrad warf sich auf den Fisch und bekam ihn zu fassen. Wasser und Fisch! Endlich spürte er seinen Kopf. Konrad wollte ans Ufer, doch die Pantinen, festgesaugt vom zähen Schlamm, blieben stecken. Er stürzte, schluckte schmutziges Wasser, aber er hielt die Beute fest; kam auf die Knie, rutschte ans Ufer, ins Gras. Hoch hinauf.

Er keuchte. Der Fisch wehrte sich nicht mehr. Konrad öffnete sein Taschenmesser, senkte die blanke Klinge hinter die Kiemenklappe und stieß zu. Rot quoll das Blut heraus und lief dem Jungen über die Hand. Er ließ den Fisch sinken. Der Gegner war tot.

Freude und Mattigkeit, Trauer und Tränen stiegen in Konrad auf. Er sah auf den Fisch, auf seine blutbesudelte Hand und wusch sie schließlich im Fluß. Seine Pantinen zog er aus dem Schlamm und überspülte auch sie.

Da klatschten die ersten, schweren Tropfen ins Wasser. Schnell versteckte er die Angel im Ufergebüsch, wog den toten Fisch in der Hand und schätzte ihn auf fünf Pfund. Ein Blitz zuckte, und gleich darauf krachte der Donner.

»Steh mir bei, heilige Jungfrau, hilf mir und halt mich heil«, betete Konrad, wie Janosch ihn gelehrt hatte. Er rannte das Ufer hinauf und den Pfad entlang dem Dorf zu. Er spürte das Gewicht des Fisches bald in den Schultern. Doch das freute ihn. Was würde die Mutter sagen? Wie würde Albert staunen! Und Hedwig erst! Helle blendete ihn. Prasselnd schlug der Blitz irgendwo in die Erde.

2

Aber nicht Mutter, Albert oder Hedwig begrüßten ihn und auch nicht der kleine Franz. Vater kam aus der Scheune, nahm ihn wortlos beim Kragen und ließ ihm kaum Zeit, die Pantinen abzustreifen. Da fiel es Konrad heiß ein. Der Roggen mußte ja herein, bevor der Regen kam. Er hob Vater den Fisch entgegen. Doch der wollte ihn nicht sehen.

»Da, du Lorbaß!« schimpfte er und gab Konrad eine Ohrfeige.

Der Junge lief in den Stall, den Fisch immer noch in der Hand. Er rannte an den Kühen vorbei und warf sich ins Stroh. Weinen schüttelte seine Schultern. Vater wollte seinen Fisch nicht sehen, seinen großen Fang. Und er hatte den Roggen über dem Fisch vergessen. Konrad ließ den Karpfen ins Stroh gleiten. Er drängte die Tränen zurück. Der Regen schlug hart gegen die kleinen Scheiben. Konrad begann plötzlich zu zittern. Er fror. Die nassen Kleider klebten ihm am Leib. Durch das Sommerhemd zeichneten sich seine Rippen. Starke Rippen und wenig Fleisch für einen Jungen von zwölf. Er schlich über den Hof zurück und betrat die Küche. Mutter stand allein am Herd. Franz krabbelte in der Ecke. Vater, Bruder und Schwester arbeiteten in der Scheune.

»Mutter.«

»Ja, Junge.«

»Mutter, sieh, mein Fisch!«

»Junge, warum hast du uns vergessen?« antwortete die Mutter leise. »Du weißt doch, wie nötig wir jede Hand brauchen.«

Konrad schnürte es die Kehle ab. Er ging auf sie zu, Tränen in den Augen. Den Fisch hielt er ihr entgegen.

»Ein sehr schöner Fisch, Junge.«

»Ich – ich . . . Ach Mutter.« Konrad tupfte mit dem Finger auf die wenigen Schuppen, die so groß wie Markstücke in einer doppelten Reihe auf dem Rücken des Fisches glänzten.

»Wir werden ihn braten. Es trifft sich gut. Karl Olbrischt ist auf Urlaub. Er kommt später herüber.«

»Ein Festmahl für Karl«, sagte Konrad.

»Schnell jetzt, lauf in den Stall und versorg das Vieh.«

Eilends schüttete Konrad den Kühen drei Eimer Wasser in den Trog und streute Kleie darüber. Quietschend drängten sich die Schweine und stießen einander zur Seite. Er goß das Futter in die Tröge und schlug ihnen mit der flachen Hand leicht auf die Schnauzen, die sich anfühlten wie feuchte Lappen. Lotter, der braune Hengst, bekam Hafer mit Häcksel gemischt. Konrad rieb mit einem wolligen Lappen dem Vierjährigen das nasse Fell trocken und bürstete ihn.

Die Tür knarrte. Vater schaltete das Licht ein.

»Ich bin schon fertig, Vater.«

»So. Ist das Pferd abgerieben?«

»Ja. Vater, ich wollte noch von eben . . .«

»Schon gut. Du bist der älteste. Mit zwölf der älteste. Merk dir das.«

»Ja, Vater.«

Vater tätschelte Lotter die samtweichen, grauen Nüstern.

»Hast du die Artillerie gehört, Konrad?«

»Ja, Vater. Erst dachte ich, es sei das Gewitter.«

»Noch sind es die Unseren.«

»Großvater meint, bald hören wir auch die Russen, Vater.«

»Er mag wohl recht behalten, Junge.«

»Aber Brennschere ...«

»Du sollst das Wort nicht immer sagen, Junge. Was kann er für seine Haare? Olbrischt spricht, was er sich wünscht. Bald wird er seine braune Uniform wohl wegwerfen müssen. Hoffentlich kann er am Martinstag seine Leute noch auszahlen.«

»So bald kommen die Russen?«

»Wer weiß, Junge.«

Sie gingen über den Hof. Der Regen hatte nachgelassen. Aus der Küche zog würziger Bratduft.

»Es war ein sehr großer Fisch«, knurrte Vater und setzte sich auf den Stuhl neben den Herd. Doch dann reizten die Küchendünste seinen Husten, den er seit dem letzten Winter nicht mehr losgeworden war. Er hielt sich am Türpfosten und preßte sein Taschentuch gegen den Mund.

»Mach die Fenster weit auf, Junge«, befahl die Mutter.

»Wie hast du das geschafft, Konrad?« flüsterte ihm Albert zu. Doch der lächelte nur.

Hedwig stellte die blau-weißen Teller und Tassen auf den Tisch. Die Tür öffnete sich. Großvater trat in die Küche. Er bückte sich nicht, als er hereinschritt, obwohl sein weißes Haar die Oberschwelle streifte. »Guten Abend«, sagte er und hängte den Stock an den Haken. Dicht hinter ihm kam Karl Olbrischt in den Raum. Das blanke Koppelschloß seiner Uniform blinkte im Abendlicht. Die Bienmanns begrüßten ihn.

»Nun zum Essen, ihr alle«, drängte Vater.

Er stand an der Stirnseite des weißgescheuerten Tisches, Großvater gegenüber. An seiner Seite saß die Mutter, schmal und klein. Hedwig war zu den Jungen auf die Bank gerutscht und hatte ihren Platz dem Gast geräumt.

Großvater faltete die Hände und betete vor. »Amen«, schlossen alle und rückten die Stühle.

Knusprig und braun lag auf dem großen Fleischteller der Fisch. Albert lief das Wasser im Mund zusammen. Alle lobten den fetten Bissen und wurden satt.

Konrad hielt sich mehr an das Brot. Ein gebratener Fisch ist ein armseliger Fisch, dachte er, und das saftige Stück wurde ihm trocken im Mund.

3

Die kleinen Kinder waren ins Bett gesteckt worden. Später stopften die Männer ihre Pfeifen. Eine Weile schwatzten sie vor der Tür. Konrad blieb bei ihnen. Aus der Küche klapperte das Spülgeschirr. Die Luft war angenehm kühl und frisch. Der Regen hatte sie saubergewaschen.

»Was ist mit dir, Karl?« fragte der Großvater.

»Ja, zehn Tage habe ich Urlaub, Großvater Lukas. Deswegen«, erklärte er und tippte mit dem Finger gegen seinen Ärmel. Dort war ein Schild aufgenäht, auf dem ein Panzer zu sehen war.

»Und trotz Abschuß kein Eisernes Kreuz erster Klasse?«

»Ich pfeife auf das Eiserne Kreuz«, antwortete Karl heftig.

»Na, laß das nicht deinen Vater hören«, spottete Großvater.

»Ich pfeife auf jeden Orden«, knurrte Karl.

»Aber euer Hauptmann, der hat bei so tapferen Leuten doch sicher ein Kreuzchen bekommen, wie?« neckte der Vater den jungen Soldaten, dem kaum der Bart über die Lippen wuchs.

Karl brummte nur vor sich hin. Großvater wollte ihn reizen.

»Na, was ist denn? Ich kenne dich ja gar nicht mehr wieder. Du warst doch so stolz, als du vor acht Monaten ins Feld rücktest.«

Der alte Olbrischt war hinzugetreten und lehnte sich gegen den Baum. Seine weißen, gewellten Haare leuchteten im Mondlicht.

»Hier steckt also unser Soldat«, sagte er.

»Hör auf, Vater«, bat Karl.

»Wieso? Warum willst du mir das Maul verbieten? Zwei Panzer abgeschossen aus nächster Entfernung? Wenn nur alle deutschen Soldaten so rangingen. Dann sähe es anders aus in Rußland.«

»In Polen, meinst du wohl«, berichtigte der Großvater.

Olbrischt stellte sich breitbeinig vor die Bank. Sein Körper, klein, untersetzt, zeichnete sich wie ein grober Scherenschnitt vor dem Nachthimmel ab. »Polen oder Rußland, Lukas«, sagte er laut, »wir werden schon noch siegen.«

»Na, na«, zweifelte der Vater.

»Sei still, Johannes«, mahnte Mutter und lehnte sich in das Fenster. Sie wußte nur zu gut, wohin ihr Vetter Viktor geschleppt worden war, als er Hitler einen Dummkopf nannte und den Krieg ein Verbrechen.

»Warum still sein?« Karls Stimme klang hart und zerborsten. »Wer glaubt denn noch an den Endsieg? Keiner jedenfalls, der an der Ostfront gerannt ist.«

»Schweig still!« Olbrischt stemmte die Fäuste in die Hüften. »Du willst mein Sohn sein? Du verrätst ja deine Brüder an der Front.«

Er drehte sich heftig um und verschwand in der Dunkelheit. Konrad konnte sich gut vorstellen, wie Brennscheres Augen böse funkelten und seine Backen sich röteten bis in die braune Uniform hinein.

»Du mußt ihn nicht so kränken«, mahnte der Großvater. »Er ist nun mal wie verrückt. Wer ist das heutzutage nicht? Die meisten schwören doch auf den Sieg.«

»Wann sind dir die Augen aufgegangen, Karl?« fragte Vater.

»Es ist eine schreckliche Geschichte.«

»Erzähl sie.«

»Sie hat eigentlich mit Sieg und Niederlage nichts zu tun. Und doch hat sie mich zum Nachdenken gebracht.« Karl sog heftig an seiner Pfeife. »Wir hatten ein paar Tage Ruhe und waren bei Minsk in ein Dorf zurückgenommen worden. Das lag wohl fünfzig Kilometer hinter der Front. Tags zuvor hatten Partisanen drei deutsche Soldaten in der Nähe im Wald hinterrücks erschossen. Da kam der Befehl, wir sollten Geiseln ausheben. Ich fand einen Mann in einem Heuschober. Er zitterte und schrie immerfort, er sei Ukrainer. Denn Ukrainer werden geschont. Schon wollte ich ihn laufenlassen, da trat der Feldwebel hinzu und verlangte seinen Ausweis. ›Dokumenta, dokumenta‹, rief der Mann und durchwühlte aufgeregt seine Taschen. Doch er fand nichts.

Wütend trieb ihn der Feldwebel in die Reihe der Geiseln. Vierundzwanzig Personen, darunter Frauen, Kinder. Sie wurden auf einen flachen Hügel geführt.

›Was geschieht mit ihnen?‹ fragte ich Kremers, den alten Gefreiten aus meinem Zug. Er schaute mich nachsichtig an und krümmte nur den Zeigefinger.

›Erschossen?‹ rief ich.

›Hast du die drei Soldaten gestern gesehen? Schüsse im Rücken. Krieg ist kein Kinderspiel, mein Lieber.‹

›Aber die Frauen, die Kinder?‹

Er zuckte nur mit den Achseln. ›Wenn wir zu zart sind, Knabe, dann knallen sie dich morgen ab, oder mich. Schüsse in den Rücken. Deshalb, weißt du.‹

Der Zug hatte den Hügel erreicht. In einer Reihe standen die Russen. Der dritte Zug nahm die Karabiner von den Schultern. Die Stimme des Feldwebels schnarrte die Befehle. Da plötzlich schrie der Mann laut, den ich im Schober aufgestöbert hatte, und er riß seinen Ausweis aus der Tasche.

›Dokumenta, dokumenta, Ukrainer!‹

›Gerettet.‹ Ich atmete auf.

Aber der Feldwebel brüllte nur: ›Quatsch, du hättest den Wisch eher finden müssen‹ und kommandierte: ›Feuer!‹ Der Ukrainer reckte seinen Arm mit dem weißen Blatt hoch und brach zusammen; tot. ›Das ist ein Schwein, der Feldwebel‹, sagte der alte Kremers.«

Karl schwieg. Konrad schmiegte sich eng an den Vater. Die Pfeifenköpfe glühten hastig und hell auf.

»Sind das Männer? Unsere Männer? Was müssen wir ertragen, bis dieses Blut nicht mehr zum Himmel schreit!« sagte Großvater, erhob sich erregt und stapfte zu seinem Häuschen hinüber.

»Gute Nacht«, sagte Karl bedrückt und gab dem Vater die Hand. Das Grollen der Geschütze wurde vom Wind herübergetragen.

»Vergiß nicht dein Abendgebet, Konrad«, mahnte Vater. Er selbst betete lange und schloß: »Und gib, Herr, daß unsere Flucht nicht in den Winter falle.«

»Amen«, sagte die Mutter und fügte leise hinzu: »Ziehe deine Hand nicht weg von den Frauen, die in dieser Zeit ein Kind erwarten.«

»Amen«, klangen ihre Stimmen. Der Vater streichelte der Mutter die Hand.

4

Karl stand längst wieder an der Front. Olbrischt war stiller geworden, seit Szakawski, der Postbote, ihm zwei Briefe gebracht hatte. Einen hatte Friedrichs Hauptmann geschrieben, der Olbrischt kurz mitteilte, daß sein Sohn tapfer im Kampf das Leben für Führer, Volk und Vaterland gelassen habe. Der andere war von einem Freund seines Sohnes. »Wir rannten nebeneinander aus dem Dorf hinaus«, schrieb er. »Es war furchtbar. Schwere Panzer waren vor dem Dorf aufgefahren und schossen. Wir hatten nicht einmal mehr genügend Munition für unsere Karabiner. Und die Angst! Ich hatte mein Gewehr verloren. Da schlug neben Fritz eine Granate ein. Ich fand nicht einmal mehr seine Erkennungsmarke.«
Die Uniform aber zog Olbrischt nach wie vor an.
»Opfer müssen gebracht werden«, hatte er zu Großvater gesagt. Großvater hatte ihn traurig angeschaut und geantwortet: »Selbst mit Abraham und Isaak hatte Gott Erbarmen«, hatte sich umgedreht und war davongestapft.
Das alles ging Konrad durch den Kopf, als er zur Schule lief. Mutter hatte ihm zum erstenmal in diesem Jahr die Schuhe herausgestellt. Er ging allein. Die knappe Stunde bis zur Schule behielt er meist für sich. Der Tag wurde klar. Konrads Blick reichte bis zum spitzen Kirchturm hinter dem Hügel. Fast alle Felder lagen nackt und kahl. Auf ein paar Kartoffeläckern faulte das Kraut. Die schlappen Blätter der Rüben leuchteten in krankem

Grün und modrigem Gelb. Die Stoppelfelder lagen schmutzig und ungepflügt. Gute Felder. Mit Blut gedüngt. Mit Polenblut und deutschem Blut.

»Die Männer fehlen und die Pferde.«

Er erreichte die ersten Häuser. In Kuhns Krämerladen gab er einen Zettel von Mutter ab.

»Gegen eins komme ich alles abholen.«

»Ist gut, Jungchen«, sagte die Krämersfrau und legte den Zettel beiseite. Aus alter Gewohnheit griff sie in das Bonbonglas. Doch es war leer. Seit Tagen schon leer.

»Nuscht«, knurrte sie. »Nuscht.«

Konrad war als erster in dem dämmrigen Klassenzimmer. Es roch nach Kreide und ranzigem Öl. Der hohe Kanonenofen mit der gußeisernen Tür bullerte. Konrad legte Holzkloben nach.

Allmählich füllte sich die Klasse. Der Lehrer trat ein, gebeugt, mager.

»Heil Hitler«, grüßte er matt. »Schließ das Fenster, Grunwald.«

Konrads Nachbar erhob sich und versuchte, den Fenstergriff zu drehen. Er war der größte Junge in der Schule, seitdem der achte Jahrgang nach Polen befohlen worden war. Zum Schanzen. Schmale Gräben sollten sie ausheben. Um die Panzer aufzuhalten, hieß es.

»Nimm den Stuhl, Junge«, mahnte der Lehrer.

Das Donnern und Grollen der Geschütze drüben hinter dem Wald war nun nicht mehr so stark zu hören. Der Lehrer malte für die Großen Bruchzahlen an die Tafel und ging zum dritten und vierten Jahrgang hinüber. Konrad hatte schnell seine Aufgaben gelöst und starrte auf die bunte Europakarte an der Wand. Rote und weiße Papierfähnchen waren in den ersten Kriegsjahren jeden Tag neu gesteckt worden. Damals hatte Konrad noch vorn in den kleinen Bänken gesessen. Die Fähnchen zeigten die Fronten an. Inzwischen war Konrads Platz in der letzten Reihe. Der Krieg dauerte zu lange. Die verstaubten Fähnchen berührte niemand mehr. Am großen Wolgaknie steckte ein spitzes, rotes Zeichen. Stalingrad. Eine ganze deutsche Armee war dort vernichtet worden. »Das erste sichtbare Zeichen vom Ende«, hatte Großvater gesagt.

»Schlaf nicht, Bienmann«, mahnte der Lehrer.

»Ich bin fertig, Herr Störm.«

»Bitte, hilf Karin. Sie kommt mit dem schriftlichen Abziehen nicht zurecht.«

Bevor Konrad aufgestanden war, wurde nach kurzem Klopfen die Tür aufgestoßen.

»Brennschere«, flüsterte Bruno Warczak. Olbrisht spähte in die Klasse. Er trug die Uniform. Die rote Armbinde glühte im Halbdunkel.

»Heil Hitler«, rief er. Der Lehrer fuhr erschreckt zusammen, riß seinen zittrigen Arm viel höher als sonst und erwiderte den Gruß.

»Der Konrad Bienmann soll heimgehen. Mit dem alten Lukas Bienmann steht es schlecht. Den Pfarrer soll er benachrichtigen.«

»Los, Bienmann, lauf!« Der Großvater! Konrad rannte los.

»Was ist mit ihm?« fragte der Pfarrer hinter dem Schreibtisch her, und ohne eine Antwort abzuwarten, mahnte er: »Junge, nimm die Mütze vom Kopf.«

Das Blut färbte Konrads Backen.

»Ich komme mit, Junge. Wart auf mich. Du kannst die Schelle tragen.« Der Pfarrer schlüpfte in sein Rochett, beugte mühsam das Knie und barg die Hostie an seiner Brust. Konrad nahm die Schelle und lief voraus. Die Leute im Dorf knieten in den Staub nieder. Selbst Katharina wich dem Pfarrer nicht mehr aus, seit die Geschütze grollten.

»In der Not wird selbst der Teufel fromm«, spottete der Pfarrer. Doch dann brummelte er lateinische Gebete und mahnte: »Langsam, langsam, Junge. Ich bin ein alter Mann.«

Drüben, unter dem Wald, arbeitete Janosch mit den Pferden. Er war leicht zu erkennen, weil er mit seinem hölzernen Bein nicht recht fertig werden konnte und hinkte.

Schon von weitem sah Konrad die Mutter über die Straße eilen, ein weißes Tuch in den Händen. Sie lief schnell. Konrad blieb an der Tür vor Großvaters Häuschen stehen und ließ den Pfarrer eintreten. Die silbrige Schelle hielt er fest umklammert und stand noch so, als der Pfarrer nach zwanzig Minuten herauskam. Er hatte das Rochett abgestreift.

»Du hast einen Großvater, wunderbar wie...« Der Pfarrer stockte eine Weile, weil ihm niemand so recht vergleichbar schien, und sagte dann fest: »Wunderbar wie Jakob.«

Konrad fühlte sich getröstet, obwohl ihm von Vater Jakob nur einfiel, daß er zwölf Söhne gehabt hatte, während der Großvater fünf Söhne und sechs Töchter großgezogen hatte.

»Es sind immerhin auch fast zwölf«, sagte er zu sich selbst.

»Wie?« fragte der Pfarrer. Konrad reichte ihm verwirrt die Klingel. »Darf ich hinein?« bat er die Mutter, die sich aus der Tür drängte. »Natürlich. Er hat schon nach dir gefragt.«

Schnell schlüpfte Konrad in den Raum, der als Küche, Wohnstube und Schlafzimmer zugleich diente, und spähte zu dem mächtigen Bett hinüber. Mutter hatte über die blau-weiß karierten Bezüge ein weißes Tuch gebreitet. Auf dem kleinen Nußbaumtisch flackerten noch die beiden Kerzen. Auch Stehkreuz, Schälchen und Watte standen dort.

Großvaters gebogene, große Römernase stach scharf aus dem Kissen. Er hielt die Augen geschlossen. Auf Zehenspitzen trat Konrad an das Bett. Als ob er auf ihn gewartet hätte, suchte Großvaters Hand die des Enkels. Er schlug die Augen auf. Der Schimmer eines Lächelns vertrieb den blassen Schein des Todes von seinem Gesicht.

»Wirst du sterben, Großvater? Du mußt mir doch noch von deiner Amerikafahrt erzählen und von den Eulen im Wald, von deinem großen Hecht und von dem Marsch nach Moskau, und...« Konrad schwieg. Das Lächeln war gewachsen.

»Ich werde jetzt viel Zeit haben. Jeden Tag kann ich dir erzählen. Bis die Flucht beginnt.« Großvaters Stimme war so klar und fest wie je zuvor.

»So viel Zeit, Großvater?«

»Ja, Junge. So viel Zeit mir Gott noch schenkt. Denn die letzten Tage meines Lebens soll ich wohl in diesem Bett zubringen. Ein Schlaganfall, weißt du.«

»Die Beine?« fragte Konrad. Der Großvater nickte.

»Die letzten Tage«, sagte er leise.

»Meinst du nicht, daß es auch noch Wochen sein können?« forschte Konrad. »Oder gar Monate?«

»Frag den lieben Gott, Junge. Doch nun laß mich allein. Lösch die Kerzen.«

Konrad drückte die Flammen aus und ließ den großen alten Mann allein in seinem breiten Bett. Viel zu breit, seit vor drei Jahren die Großmutter Lisa gestorben war, viel zu breit.

5

Seit Tagen hatte sich der Wind gedreht. Er wehte von
der Ostsee her und schob dunkle Wolken vor den Himmel. Mit ihm kamen Regen und laue Luft. Und die Grippe. Bienmanns hatten gerade die Rüben im Keller, als
der Vater sich hinlegte und das Fieber ihn überfiel. Der
Arzt aus Ortelsburg schüttelte den Kopf und horchte
lange Vaters Brust und Rücken ab.
»Der Husten will mir nicht gefallen, Bienmann.«
Vater schwieg. Schließlich packte der Arzt seine Instru-
mente in die abgeschabte Tasche und zog den Rezept-
block heraus. Er kaute eine Weile auf dem Ende des
Stiftes. Vater hatte sich wieder zugedeckt. Mit der Bettwärme kam ein neuer Hustenanfall und schüttelte ihn
und trieb ihm das Wasser in die Augen.
Dr. Lukowski reichte der Mutter weiße Papierchen. Sie
waren gefaltet, und ein paar Körnchen eines weißen Pul-
vers lagen in jedem. »Wird es gar zu arg mit dem Husten, dann geben Sie ihm ein Pulver mit einem Eßlöffel
Tee von Brombeerblättern. Das wird helfen.«
»Wenn sie ihn nur nicht in die Uniform stecken wollen«,
ängstigte sich die Mutter.
»Ach was, Frau Bienmann. Nur keine Sorge davor.«
Wohl um die Mutter zu beruhigen, schrieb Dr. Lukowski
mit großen, steifen Buchstaben auf einen Bogen, der
oben seinen Namen gedruckt trug, viele Wörter. Die
letzten Sätze konnte Mutter entziffern. »Bienmanns

Krankheit hat sich rapide verschlimmert. Er ist völlig untauglich für den Wehrdienst.«

Jagte der eine Satz ihr Angst ein, so tröstete der letzte sie um so mehr.

»Einer muß noch heute nach Ortelsburg zur Apotheke.«

»Konrad«, sagte die Mutter und reichte dem Jungen das Rezept.

Der Junge setzte sich seine Pudelmütze auf und griff nach der Zeltplane. Drei Stunden Weg hin und drei zurück. Wenn er vor dem Abend zu Hause sein wollte, dann mußte er die Beine in die Hand nehmen.

Also los. Auf einen Sprung trat er noch beim Großvater ein.

»Bring mir Baldrian mit«, bat er und holte seinen Geldbeutel unter dem Kopfkissen hervor. Vier Groschen drückte er dem Jungen in die Hand.

»Drei für den Tee und einen für dich.«

»Danke, Großvater. Und eine Geschichte?«

»Wenn du wieder da bist, du Quälgeist.«

Die erste Wegstrecke war ihm vertraut. Jeden Tag lief er sie zur Schule. Auch bis Eschenwalde kannte er sich aus. Dort wohnte die Tante. Seit sein Vetter Hubertus aus Berlin auf ihrem Hof half, lief er gern hinüber. Später richtete er sich nach den gelbschwarzen Wegweisern. Ein Eichhörnchen kletterte behende den Birkenstamm eines Wegbaumes empor. Es sprang und wippte auf den dünnen Ästen zum nächsten Baum und weiter, und noch einmal, bis er es in der schnurgeraden Reihe der Bäume aus den Augen verlor. Konrad hatte die Pantinen ausgezogen. Der Boden war vom Regen aufgeweicht.

Auf einem Acker arbeiteten Gefangene. Franzosen? Russen? Norweger? Aus welchem Land Europas kamen sie?

Sie sollten die letzten Rüben bergen, bevor der Wind umschlug und Schnee und Kälte brachte. Felder, soweit er sehen konnte.

Endlich erreichte er die ersten Häuser der Stadt. Niedrig, nur wenig größer als die in Leschinen, duckten sie sich unter ihren Dächern. Eine Lastwagenkolonne stand am Rande der Straße. Hier und da schauten müde Kinderaugen durch die Spalte des Verdecks.

Kaum älter als ich, dachte Konrad. Vielleicht darf ich auch noch zum Schanzen!

»He, Bienmann!« Eine Jungenstimme rief seinen Namen und schnappte über. Die Plane wurde auseinandergeschlagen. Er erkannte Szakawski, Josef Szakawski.

»Mensch, wo kommst du denn her, Josef? Ich denke, ihr seid in Polen?«

Hinter Szakawski drängten sich nun noch drei, vier, alle aus seiner Klasse. Karl Rübsam, Peter Krause und Georg Warczak. »Wir werden verlegt. Nach Allenstein, heißt es.«

»Allenstein? Sind sie denn schon in Deutschland?«

»Noch nicht«, antwortete Warczak. Seine Augen blickten ernst.

»Du«, fragte Peter Krause, »kannst du meiner Mutter nicht etwas bestellen?«

»Aber sicher«, versprach Konrad.

»Und für mich?« bat Warczak.

»Klar! Für alle, wenn ihr wollt. Schreibt doch einen Zettel, los, schreibt.«

Sie riefen in den Wagen nach Papier und Bleistiften. Die ersten Autos der Kolonne fuhren an. Sie reichten ihm die Zettel heraus. Kinderschrift bedeckte sie, steife, eckige Schnörkel. Im Schritt fuhren die Wagen. Konrad lief nebenher.

»In der Klasse ist nichts mehr los ohne euch«, überschrie er den Motor. »Grunwald ist der größte und reicht nicht einmal bis an den Fenstergriff ohne Stuhl.«

Warczak beugte sich weit heraus und winkte Konrad heran.

»Gib die meinem Bruder, Bruno, bitte, ich werde sie wohl nicht mehr lange brauchen.« Er drückte Konrad seine Armbanduhr in die Hand. Wie stolz war er immer auf seine Uhr gewesen! Warczak war der einzige aus der Klasse, der zur Kommunion eine Armbanduhr bekommen hatte. Konrad fror bei Warczaks Lächeln.

»Warczak spinnt wieder«, rief Szakawski.

Sie lachten laut. Zu laut, schien es Konrad.

Der Wagen fuhr schneller. Konrad versuchte, Schritt zu halten. Aber der Abstand wurde größer. Der nächste Laster hupte heiser. Konrad drängte sich an die Häuserfront. Fünf Jungenhände winkten sich zu. Vorbei. Konrad barg die Zettel in seiner Brusttasche. Unversehens stand er vor der Apotheke. Wohlige Wärme durchdrang ihn, als er auf der langen Bank saß. »Eine halbe Stunde«, hatte die Frau im weißen Kittel gesagt und ihm drei Stücke Lakritze über die braune Theke geschoben. Eins hatte er gleich in den Mund gesteckt und hielt es hinter den Zähnen. Lakritze war rar geworden. So ähnlich muß Schokolade schmecken, dachte er. Aber er erinnerte sich nicht mehr genau. Ich lege meine Pudelmütze auf die Heizung. Und den Rücken lehne ich dicht dran. Hoffentlich werde ich trocken.

Die Türklingel scheppterte. Eine alte Frau trat herein. Sie war ganz in ein schwarzes Wolltuch gehüllt.

»Für mein Rheuma etwas, Frau Apothekerin, für mein Reißen.«

Sie erhielt eine rote Tube.

»Keinen Franzbranntwein?«

»Zum Trinken, he?«

»Aber Frauchen!« tat die Alte beleidigt. »Zum Einreiben, nur zum Einreiben.«

»Dafür ist auch die Salbe gut«, entschied die Apothekerin.

»Haben Sie die Kinder auf den Autos gesehen?« fragte die Alte.

»Es fahren so viele Autos.«

»Sie sind schon vierzehn«, wagte Konrad einzuwenden.

»Vierzehn, vierzehn! Kinder sind es, basta. Gehören an Mutters Herd!«

»Und der Endsieg?« fragte die Apothekerin und zerstieß in einem Mörser kleine Salzkörner.

»Der Endsieg?« Die Alte lachte beinahe lautlos, ging zur Tür, wandte noch einmal den Kopf zurück: »Der Endsieg!«

»Ihr fehlen fast alle Zähne«, stellte Konrad fest.

»Sie säuft!« schimpfte die Apothekerin. »Der Führer wird es schon machen, was meinst du?«

Die Apothekerin füllte die Arznei in eine dunkle Flasche, leckte an einem rotweißen Schildchen und schrieb den Namen des Vaters drauf.

»So, hier ist es. Und auch der Baldrian für deinen Großvater.« Sie stellte beides auf die Theke. »Wie kommst du zurück nach Leschinen?«

»Nun, ich werd' laufen.«

»Steht nicht der Wagen von Olbrischt gegenüber vor Schlebuschs Gasthaus? Ich meine, ich hätte ihn eben noch gesehen.«

Konrad bezahlte das Rezept und den Baldrian und rannte hinaus.

Vor dem gelben Haus stand Brennscheres Wagen mit

den beiden Rappen. Ihr nasses Fell glänzte.

Er betrat die Gaststube. Dichter Qualm von starkem, schlechtem Tabak biß ihm in die Augen. In der Ecke saß Janosch allein am Tisch. Konrad trat zu ihm.

»Ja, Jungchen, wie kommst du denn hierher?«

»Wegen Vater. Ich war in der Hirschapotheke.«

»Und willst mit mir zurück?«

»Wenn ich darf?«

»Aber, ja doch. Und naß bist du wie eine Katze. He, Gertrud«, rief er der Wirtin zu, »bring dem Burschen etwas Warmes. Fleischbrühe oder so.«

»Fleisch kannst du ruhig weglassen, Janosch«, maulte die Wirtin und stellte eine dampfende Tasse vor den Jungen. Konrad umfaßte sie mit beiden Händen und schlürfte.

»Das tut gut«, sagte er.

»Na, dann komm, Jungchen.«

Die Pferde scharrten, als Janosch unbeholfen sein Holzbein auf den Bock des Kastenwagens hob und zur Peitsche griff.

6

Der Regen hatte aufgehört. Von den Zweigen und Blättern jedoch tropfte es unablässig weiter.

Janosch hatte den Jungen in eine rauhe Pferdedecke gehüllt. Konrad saß eng an den Knecht geschmiegt und hielt die Zügel. Das war leichte Arbeit. Der Wagen fuhr seine Spur. Die Tiere kannten den Weg. Janoschs Peitsche blieb ruhig. Am Zipfel der dünnen Lederschnur wuchs ständig ein Wassertropfen und fiel schließlich auf den Rücken des Pferdes.

»Erzähl mir doch von eurem Lehrer Brook und von Miau.«

»Du kennst doch die Geschichten längst.«

»Bisher hast du immer neue gefunden.«

»Kennst du die, als Miau eine Katze in seiner Jacke fand?«

»In der Miau vor Schreck die Tintenflasche fallen ließ?«

Janosch nickte.

»Hab' ich dir schon erzählt, wie Miau einen kleinen schwarzen Kater geschenkt bekam?«

»Ach, das war doch die einzige Katze, vor der Miau keine Angst hatte und die er in seiner Schusterstube gewähren ließ.«

»Siehst du, du kennst sie alle.«

Janosch zog seine Pfeife hervor. Er hielt die Peitsche zwischen den Knien. Den großen Pfeifenkopf füllte er mit körnigem Knaster, zerschlagenen Tabakstengeln, und zündete in der hohlen Hand das Streichholz an. Die leuchtend helle Flamme schien ihm in sein kleines Gesicht.

»Du hast ja schon graue Haare in deinem Bart«, stellte Konrad fest.

Janosch schwieg und paffte.

»Kennst du die Geschichte, in der Miau einem Gespenst begegnet ist?«

»Einem leibhaftigen Gespenst, Janosch?«

»Warte es ab, Junge.«

Die Pferde zogen faul, und Janosch schnalzte mit der Zunge.

»Das war im November Anno 13. Der Schnee ließ lange auf sich warten. Die Nächte waren schon hell und kalt. Miau kam von Packenberge herüber. Er hatte bis spät in den Abend hinein deinem Großvater Lukas geholfen. Sie bauten gerade an Mirchows Haus.«

»Das Holzhaus am Dorfeingang?«

»Ja, an dem. Miau hatte in seiner Schusterwerkstatt nichts zu tun; denn die Leute hatten ihre Schuhe für den Winter längst flicken lassen. Am Tag nach Martini hatte der letzte bezahlt. Miau war geschickt und konnte nicht nur schustern. So half er deinem Großvater häufig bei der Zimmerei aus. Mit einem Taler in der Tasche war er auf ein Gläschen Bärenfang in die Wirtschaft gegangen, und aus dem einen Gläschen waren drei geworden. Für drei Gläschen brauchte Miau drei Stunden. Er verstand es, den süßen Schnaps bedächtig zu schlürfen. Endlich schulterte er seine Axt, klimperte mit dem Wechselgeld in seiner Hosentasche und sagte: ›Auf Wiedersehen‹

Erst pfiff er ein Liedchen. Er freute sich an seiner Atemluft, die ihm wie ein Nebelstreif aus dem Munde schoß. Den großen Wald hatte er hinter sich gebracht. Das Dorf lag dunkel wie ein Schattenberg. Miau mußte am Friedhof vorbei. Er hörte auf zu pfeifen und wollte den Toten die Ruhe nicht stören. Er hatte ja nicht nur vor Katzen eine spaßige Angst, sondern fürchtete sich auch vor Gespenstern. So hielt er den Mund gespitzt und die Augen auf das Dorf gerichtet. Ohne den Kopf zu drehen, wagte er einen Blick aus den Augenwinkeln. Die Kreuze standen kalt und weiß unter dem vollen Mond. Als er an der Pforte vorbei war, dort, wo die Bank unter den drei Linden steht, da wurden seine Schritte leichter und schneller. Schon entsprangen seinem gespitzten Mund wieder kleine Töne.

Plötzlich erstarrte er. Hinter ihm rief es deutlich: ›Wart, Miau, nimm mich mit. Ich bin es leid hier.‹ Miau entglitt die Axt. Zuerst waren ihm die Beine wie Bleibarren schwer. Doch dann rannte er, verlor seine Pelzmütze, drehte sich nicht einmal nach ihr um und hielt nicht eher ein, bis er den Schlüssel hinter sich im Schloß gedreht hatte und keuchend auf dem Stuhl am Tisch zusammensank.«

»Hat er die Stimme denn wirklich gehört, Janosch?«

»Sicher, Jungchen, sicher.«

»Furchtbar.«

»Nun, Jungchen, furchtbar war es nicht. Denn am Morgen schickte der Lehrer mich mit Mütze und Axt zu Miau und trug mir Grüße auf. Ich solle ihn fragen, warum er gestern abend so kopflos geflohen sei. Er habe doch hinter dem Kirchhof mit der Büchse gesessen und vergebens auf Karnickel gewartet. Und da sei er das lange Warten leid gewesen und habe mit ihm zusammen nach Hause gehen wollen.«

»Ach, so war das«, lachte Konrad. »Aber ich glaube, da hätte sich wohl jeder erschreckt und nicht nur Miau.«

»Na, du bestimmt«, neckte ihn Janosch.

Sie fuhren durch Eschenwalde. Vor der Post griff Janosch in die Zügel und rief: »Hüh!« Umständlich kletterte er herab, hob zuerst sein Holzbein auf den Boden und stemmte sich dann allmählich herunter.

»Eine halbe Stunde, Jungchen, eine halbe Stunde hast du Zeit. Hab' was zu erledigen.«

»Ich gehe solange zu Tante Elisabeth«, beschloß Konrad, wickelte sich aus der Decke und sprang vom Wagen. Seine Kleider waren klamm und dampften wie das Fell der Pferde.

Das Haus der Tante war groß und aus schweren Balken festgefügt. Der schwarze Neufundländer schlug an.

Konrad trat durch die Tür. 19 † K † M † B † 44 war mit Kreide am Dreikönigstag an den Balken geschrieben worden. Das brachte Segen. Segen hatte die Tante nötig. Onkel war im Feld, und alle vier Söhne und sechzehn der Jüngste. Sie schlug sich auf dem Hof mit drei gefangenen Franzosen schlecht und recht durch. Seit zwei Monaten war ihr Neffe Hubertus aus Berlin bei ihr. Er hatte im Krieg einen Arm verloren, doch bedeutete er für Tante Elisabeth eine große Hilfe.

Pierre saß am Kachelofen. Tante stand unter der Lampe. Sie wickelte eine Mettwurst in Fettpapier.

»Guten Tag, Tante.«

»Guten Tag, Konrad. Kommst du schon zurück aus der Stadt?«

»Ja, Janosch hat mich aufsitzen lassen. Woher weißt du, daß ich in der Stadt war?«

»Hedwig war hier und hat erzählt, wie schlecht es dem Bruder geht.«

»Wem schickst du das Päckchen, Tante?«

»Dem Peter, dem Jüngsten. Er liegt in Frankreich.«

»Darf ich einen Gruß dazuschreiben?«

»Sicher, Junge. Er wird sich freuen.«

Konrad schrieb: »Viele Grüße von Deinem Konrad, und komm bald wieder. Wir brauchen hier *Männer*.«

»Habt ihr nichts gehört von Onkel Thomas und Tante Grete und den Kindern?« fragte Tante Elisabeth.

»Nein«, antwortete Konrad. »Wir haben schon seit Wochen keine Post aus der Tuchler Heide. Großvater denkt, daß die Russen von dort nach Ostpreußen kommen. Vielleicht sind sie schon längst da?«

»Wo sind die Russen noch nicht?« seufzte die Tante.

»Wo steckt Hubertus, Tante?«

»Er ist noch auf dem Acker und hilft André.« Maurice trat herein.

»Sind die Kühe gemolken?« fragte die Tante.

»Jawohl, Madame«, antwortete Maurice, nahm sein Käppchen ab und rutschte neben Pierre auf die Bank. Tante ging zum Schrank, nahm den Schlüssel vom Gürtel und holte drei Zigaretten heraus.

»Hier, Pierre, aber hebt André eine auf.«

»Ja, Madame«, sagte Pierre, steckte eine ins Käppchen, reichte die andere Maurice hinüber und schob die letzte zwischen die Lippen.

»Du darfst ihnen nichts zu rauchen geben, Tante«, sagte Konrad leise.

»Schweig, Junge«, murrte sie und schnürte das Päckchen.

»Sie können nicht einmal nach Hause schreiben«, sagte sie wie zu sich selbst. »Und hoffentlich findet Otto in Sibirien auch eine Mutter, die an ihren Sohn denkt und ihm eine Scheibe Brot über den Stacheldraht wirft.«

Konrad schwieg bedrückt. Wer hatte nun recht? Großvater und Tante, Brennschere und die Apothekerin? Oder die Stimme im Radio?

Er sagte: »Auf Wiedersehen.« Janosch trat gerade aus der Post heraus. Die Dämmerung brach herein, und mit ihr kam das Donnergrollen der Abschüsse und Einschläge, das den ganzen Nachmittag über geschwiegen hatte.

»Wieder ein Stück zu uns herüber«, sagte Janosch. Er hielt nun selbst die Zügel und trieb die Pferde zu einem langen Trab. In Leschinen brannten schon die Lichter.

»Gut, daß er da ist«, atmete die Mutter auf, als sie Konrads Pantinen im Flur klappern hörte.

7

»Konrad«, rief die Mutter vom großen Herd her und füllte einen Teller halb mit Milchsuppe. »Vergiß das Brot für Großvater nicht«, mahnte sie.

»Darf ich noch ein Stündchen mit hinüber?« bettelte Albert inständig.

»Lauf zu. Aber um halb acht Uhr bist du wieder da.«

»Ja«, versprach er.

Konrad trug den abgedeckten Teller vorsichtig vor sich her. Albert hatte das Brot unter den Arm geklemmt und das Besteck hinter das Koppel geschoben.

Er öffnete die Tür zu Großvaters hölzernem Haus. In der Stube war es dunkel. Nur der Mond malte viereckig und blau einen Lichtfleck an die Wand.

»Großvater?« fragte Albert ängstlich.

»Ja, Albert?«

»Wir bringen das Essen.«

»Ich zünde das Licht an«, sagte Konrad.

Er tastete sich zum Tisch hin und setzte den Teller behutsam ab. Das Streichholz schabte am Schwefel vorbei und flammte auf. Bald hüllte der warme Schein von Großvaters Petroleumlampe das Zimmer in lebendiges Licht.

Großvater betete und aß. Schweigend hockten die Kinder auf dem Bettrand. Konrad sah in das große Gesicht, das von langen, weißen Haaren eingeschlossen war. Der Mund war wie ein Strich, die Nase groß und gebogen und die struppigen Brauen kühn gewölbt.

Die Augen haben Amerika gesehen, dachte Konrad. Und mit seinen tauben Beinen ist er bis hinter Moskau gelaufen, um aus rohen Stämmen feste Häuser zu bauen.

Albert reichte Großvater zwei Scheiben Brot. »Hast du eigentlich noch alle Zähne, Großvater?« fragte er.

Der Großvater kaute bedächtig und gab zur Antwort: »Zwei schlug mir ein Balken aus dem Kiefer, und einen verlor ich vor Warschau, als ich vom First eines Hauses stürzte.«

»Und die anderen?«

»Das sind sie, die Räuber«, lachte der Großvater, und große, breite Zähne glänzten im Licht.

»Warst du lange in Warschau, Großvater?« fragte Konrad. – »Ja, Junge, insgesamt wohl an die zwei Jahre.«

»Die Polen«, wollte Albert wissen, »sind die Polen alle feige?«

»Feige? Junge, wer hat dir den Unsinn erzählt? Hast du nie vom Polenkönig Johann Sobieski gehört, Albert?«

»Nein, nie.«

»Er stritt mit Heeren aus ganz Europa 1683 gegen die Türken.« – »Die Schlacht am Kahlenberg«, rief Konrad.

»Ja, König Johann Sobieski stellte mit seinen 15 000 Polen die größte Streitmacht des Heeres. Seine wilden Lanzenreiter entschieden diese Sonntagsschlacht am 12. September. Die Türken wurden geschlagen. Wien und Europa waren gerettet. Nur ein Dummkopf kann die Polen feige nennen.«

»Der Lehrer hat den Namen von Johann Sobieski nie genannt«, wunderte sich Konrad.

»Aber böse sind die Polen und heimtückisch. Sie hassen die Deutschen. Das sagt auch Brennschere«, behauptete Albert.

»Es gibt in jedem Volk böse und gute Menschen. Ich bin vielen guten Polen begegnet und war gern in ihrem Land. Wer anders spricht, ist ein Lügner.«

»Brennschere lügt?« fragte Konrad.

»Wenn er behauptet, die Polen seien feige, böse, hinterlistig und heimtückisch ...«

»Und schmutzig und gemein«, ergänzte Albert.

»Dann hat ihm das der Teufel eingeflüstert.«

»Warum lügt Brennschere, Großvater?«

»Haß macht blind. Haß bläht Lügen auf, macht sie dick; sie stürzen sich über die Wahrheit und wollen sie restlos verschlingen.«

»Wie Gespenster«, sagte Albert.

»Gibt es Gespenster, Großvater?« fragte Konrad.

»Junge, das ist eine schwere Frage, auf die ich keine Antwort weiß. Geister? Geister?« Der Großvater sah vor sich hin.

»Geister bestimmt, Großvater. Die Engel sind doch Geister und die Teufel«, wußte Albert.

Großvater ließ sich ein wenig in die Kissen zurücksinken und begann zu erzählen.

»Ich kam einmal, als euer Vater noch ein kleiner Tropf war, mit Miau und Klein-Jerutten herüber durch den großen Wald. Es war im Spätherbst. Im Wald war es schon finster. Wir fühlten uns sicher, Miau, weil ich bei ihm war, und ich, weil ich Miau und die breite Axt bei mir hatte. Im großen Wald gab es zu der Zeit viele Eulen. Meist Käuzchen. Auch ein Uhu rief zuweilen lang und hohl. Miau hielt sich dicht bei mir, und ich hatte das nicht ungern. Es tut gut, wenn Menschen nicht allein durch einsame Wälder gehen müssen. Sie können dann zu zweit an ihrer Angst tragen.

Miau pfiff leise vor sich hin. Es hörte sich sorglos an und

sollte doch nur die Sorgen totpfeifen.

›Paß auf, Miau.‹ Ich legte die Axt auf den Boden. ›Paß auf, ich schreie jetzt wie eine Eule.‹

›Als ob sie das nicht merken‹, spottete Miau.

Ich wußte es besser und legte die Hände an den Mund.« Großvater formte aus seinen Händen ein Rohr. Plötzlich stand im Zimmer der Eulenschrei, so laut und hohl, daß Albert zusammenfuhr.

»Ich schrie dreimal. ›Hör auf!‹ sagte Miau. Er riß mir die Hände vom Mund. Ein Schatten glitt breitflügelig über uns hin. Ich duckte mich. ›Na?‹ flüsterte ich Miau zu. ›Haben sie etwas gemerkt?‹ Doch mein Stolz lief schnell davon, als ich Miaus ausgestreckter Hand mit den Augen folgte.

Über der Schneise, die der Weg in den Wald schnitt, glänzte sternenübersät der Himmel. Und der Mond hing zwischen den Fichten wie eine platte Scheibe. Und von links nach rechts und von rechts nach links, von unten nach oben und von oben in die Schneise hinein segelten lautlose, schwarze Schatten, riesigen Fledermäusen gleich. Zwanzig, hundert? Viele kleinere und einige sehr große. Ich erschrak.

›Komm‹, flüsterte Miau, und ein kleines Zittern färbte seine Stimme heiser. Ich schulterte die Axt wieder. Mit langen Schritten hasteten wir den Weg entlang und hofften, so den schrecklichen Eulen zu entgehen.

Jedoch sie folgten uns. Oft glitten sie dicht über unsere Köpfe hinweg, daß wir den Flugwind hinter den Ohren spürten. Vor uns saßen sie auf den Ästen. Zuerst erkannten wir ihre grünleuchtenden Augen, die das Mondlicht widerspiegelten, dann ihre dunklen Körper, ihre spitzen, gefiederten Ohren, ihre starken Beine mit den schwarzen Krallen.

Miau wollte zu rennen beginnen. Auch ich hätte am liebsten Fersengeld gegeben, doch glaubte ich aus irgendeinem Grunde, daß sie dann über uns herstürzen würden, und hielt ihn zurück. Das alles ging in völliger Ruhe vor sich. Kein Windchen blies. Kein Ast knackte. Wir scheuten uns, fest aufzutreten. Das feuchte Herbstlaub dämpfte unsere Schritte vollends. Und Eulen fliegen leise, ganz leise.

Endlich sahen wir das Ende der Waldschlucht.

Wir traten ins freie Feld. Ängstlich sahen wir uns um. Die Eulen blieben zurück. Miau rief leise: ›Maria und Josef.‹

Er sagte das nicht nur so hin. Im Wirtshaus war noch Licht. ›Komm‹, sagte ich, ›ich kann einen Schluck vertragen.‹

Miau schaute mich verwundert an. Es war der erste Kartoffelschnaps in diesem Jahr, den ich trinken wollte. Ihr wißt ja, daß ich von dem Zeug nichts halte. Aber da tat er mir gut und scheuchte den kalten Schrecken feurig weg. ›Halt den Mund‹, flüsterte ich Miau zu. Die Wirtin fragte, ob uns der Leibhaftige begegnet sei und warum Miaus Bart über der Lippe zitterte. Da erzählte er ihr alles.

Ohm Nikolaus saß in der Ecke hinter einem Glas Bier. Er wurde damals sechsundneunzig, und es war sein letztes Jahr.

›Im langen Holz, sagt ihr, ist das geschehen?‹

›Ja, an der dicken Eiche ungefähr.‹

›Junge, Junge‹, schüttelte er den Kopf. ›Wißt ihr denn nicht, daß da die Franzosen Anno 1812 drei Frauen und sechs Männer erschossen haben?‹

Wir gingen still nach Hause. Als ich hier in diesem Bett lag und das Käuzchen draußen in der Tanne schreien hörte, da zitterte ich so, daß eure Großmutter fragte: ›Lu-

42

kas, was ist mit dir, packt dich der Schüttelfrost?‹«
Großvater schwieg und schloß die Augen. Die beiden
Jungen blickten in die rötliche Flamme der schönen,
blauen Lampe.

»Du, Konrad«, raunte Albert, »hattest du auch Angst?«

»Angst?« Konrad lachte laut. »Ich soll Angst gehabt haben?« Doch nach einer kleinen Pause gab er zu: »Ein bißchen schon. Besonders hier.« Und er legte die Hand an
seinen Bauch.

8

Vierzehn Tage später bekamen die Kinder unerwartet schulfrei. Den Lehrer hatte auch die Grippe gepackt. Er schleppte sich bis zehn Uhr mit rotem Kopf durch die Klasse. Dann schickte er die Kinder nach Hause und meinte, am Montag sollten sie wieder hereinschauen. Vielleicht gehe es dann.

Vater war wieder auf den Beinen. Er war bei Olbrischt gewesen und hatte einen Schlüssel mitgebracht.

Er öffnete die Tür zur Vorratskammer, schaute auf die Fettöpfe, zählte die Honiggläser und roch an den Schinken.

»Was hast du die letzten Tage zu schnüffeln, Johannes?« fragte die Mutter und tat, als ob es sie ärgerte.

»Ich brauche deinen Rat, Agnes.«

Sie setzte sich an den Tisch. Vater wühlte in seiner Lade und kam schließlich mit einer Karte vom Kreis Ortelsburg wieder. Er breitete sie aus.

»Sieh, Agnes, hier liegt unser Dorf, und hier das Kästchen ist unser Haus.« Er fuhr mit dem Finger die Straße nach Liebenberg entlang. »Von hier werden die Russen kommen.« Er zeichnete eine Linie von Osten her.

»Meinst du?« fragte sie unsicher. Er sah sie an und lächelte. Sie senkte die Augen.

»Hier, westlich von uns, im Wald hat Olbrischt seit Jahren eine feste Wellblechbaracke. Das ist der Schlüssel.« Er legte ihn auf den Tisch.

»Es kann sein, daß wir schnell fliehen müssen. Hals über Kopf«, dabei blickte er sie sorgenvoll an.

»Das wäre schlimm«, flüsterte die Mutter.

»Nicht gar so. Wenn wir nur rechtzeitig daran denken. Deshalb werde ich mit Konrad am Nachmittag einen Lebensmittelvorrat hinüberschaffen.«

Mutter legte ihre Hand auf seine. »Wie gut, daß wir dich hier haben, Johannes. Ich glaube, es würde mir sonst zu schwer ohne dich.«

Die Kinder stürmten herein. »Wir haben bis Montag schulfrei«, jubelte Albert und warf übermütig seinen Ranzen in die Ecke.

»Grippe«, erklärte Konrad.

»Wer? Wer hat Grippe?« Die Mutter verstand ihn nicht.

»Nun, Lehrer Störm hat Grippe, Mutter.«

Hedwig zog die Jacke aus und sagte: »Sein Kopf war ganz rot, und glitzrige Augen hatte er.« Und in einem Atemzug fuhr sie fort: »Wir gehen nach draußen und spielen Krieg. Die anderen Kinder warten schon.« Sie liefen los. Der Vater schüttelte den Kopf. »Krieg, anderes kennen sie nicht mehr.«

Draußen rief Hedwig: »Du bist unser Hauptmann, Konrad.« Albert und auch Kurt und Alfred Olbrischt nickten. »Ein Maschinengewehr brauchen wir und eine Panzerabwehrkanone.«

»Wir haben einen Panzerknacker gebaut«, taten Kurt und Alfred sehr geheimnisvoll.

Neugierig folgten Bienmanns Kinder ihnen in die Scheune. Die beiden Mädchen von Rosell gesellten sich dazu. Alfred zerrte einen Heuhaufen auseinander. Auf zwei Handkarrenrädern hatten sie ein Papprohr befestigt.

»Von unserem Teppich«, erklärte Alfred.

»Und wie schießt das Ding?« fragte der Hauptmann.

»Ganz einfach.« Alfred schob eine faustgroße Papierkugel in das Rohr. Sie war mit zwei Schnüren über Kreuz zusammengebunden. »Sand«, erklärte er. Dann zog er einen mit Gummibändern befestigten Bolzen aus dem Rohr.

»Richtet das Geschütz!« kommandierte er. Kurt schob die Räder herum, so daß die Mündung auf das hintere Scheunentor zeigte.

Alfred zog an dem Bolzen.

»Achtung, Feuer frei!« kommandierte Konrad.

Hedwig hielt sich die Ohren zu. Die Kugel flog aus dem Rohr, beschrieb einen flachen Bogen und klatschte gegen das Scheunentor. Dort zerplatzte die Hülle, und der Sand spritzte heraus.

»Wunderbar«, lobte Konrad. »Damit gewinnen wir die Schlacht. Aber haben wir genug Munition?«

Kurt zog einen Sack von einem kleinen vierräderigen Handwagen.

»Dreißig Schuß«, prahlte er.

Die Mädchen zogen Wagen und Lafette. Die Jungen spähten nach dem Gegner. Da kam Kurt gelaufen. »Melde gehorsamst, hinter Nowaks Stall erste Feindberührung.«

»Danke«, rief der Hauptmann.

Die Kanone ging in Stellung. Der Hauptmann selber zog mit Alfred den Bolzen heraus. Da bog der feindliche Panzerwagen um die Ecke.

»Feuer frei!«

Zischend flog der Sandball und traf den Turm des gegnerischen Wagens. Der, auf solche Ladung nicht gefaßt, schlug um und zeigte seinen Motor, braune Jungenbeine. Mit »Hurra«, wehender Fahne und fliegenden Zöpfen stürzte sich Konrads Kompanie auf den Feind. In den Händen trugen sie die Kanonenkugeln. Die Warczaks, Lenskis und Rübsams wurden überrumpelt und geschlagen. Der Panzer war die Beute. Am Straßenrand stand Szakawski mit dem Postsack.

»Was der Krieg aus den Kindern macht«, murrte er. »Nichts als Krieg, selbst in den Kinderspielen. Was das noch werden soll?«

Er warf den Postsack auf den Rücken, stieg auf sein gelbes Rad und fuhr davon.

Am Nachmittag befahl Vater, Lotter vor den Kastenwagen zu spannen. Der stand beladen und mit Tüchern überdeckt in der Remise. Konrad wunderte sich. Vater nahm die Zügel und lenkte das Pferd auf Willenberg zu.

»Wohin geht es, Vater?«

»Wirst schon sehen.«

Der Vater blieb auch während der Fahrt schweigsam. Schließlich hielt er Lotter an. Mitten im Wald.

»Dort steht ja die Baracke von Brennschere«, rief Konrad.

»Die gehört jetzt uns, Junge. Ich habe sie gekauft.«

Er steckte den Schlüssel ins Schloß. Er drehte sich leicht. Das Schloß war geölt. Dann luden sie ab und deckten die Würste, den Schinken, die Fleischbüchsen und die Fettöpfe mit den mitgebrachten Tüchern zu.

»Wenn die Russen kommen?« begann der Junge zu begreifen.

Der Vater nickte.

Auf dem Rückweg wurde er gesprächiger.

»Konrad«, begann er. »Bist ein verständiger Kerl. Ich will dir etwas anvertrauen. Der liebe Gott will dir einen Bruder oder eine Schwester schenken.« Er schwieg eine Weile.

»Das ist es also«, fuhr es Konrad durch den Sinn, und er dachte daran, wie blaß und müde Mutter geworden war.

»Das ist eine schwere Zeit für deine Mutter, Jungchen. Seid lieb zu ihr, ihr Kinder. Und betet, daß die Flucht ...« Er brach ab.

»Ja, Vater«, versprach Konrad und drückte ihm fest die Hand.

9

Am Nachmittag zogen Wolken auf, und der Wind jagte kleine, harte Schneeflocken vor sich her. Früh brach die Dunkelheit herein. Die Eltern trugen Großvater herüber. Er sollte über die Weihnachtstage im neuen Haus bleiben. Hartnäckig hatte er sich geweigert, in Mutters Bett zu schlafen. »Auf der Bank schlaf' ich, oder ich komme gar nicht«, beharrte er.

So wurde ihm auf der breiten Bank am Kachelofen aus Decken und Kissen ein Lager bereitet. Da lag er meist mit geschlossenen Augen. Der kleine Franz spielte mit seinen Händen und drehte Großvaters Trauring. Vor wenigen Wochen noch hatte er stramm und fest den Finger umschlossen. Jetzt saß er locker, und nur der dicke Knöchel hinderte den Goldreif herabzufallen.

Die Standuhr im Flur schlug, als die Kinder »Gute Nacht« sagten. Konrad und Hedwig durften mit in die Mette. Unruhig wälzten sie sich im Schlaf und schlugen die Augen gleich auf, als die Mutter sie weckte. Sie schlüpften in die Kleider. Für Konrad lag der Kommunionanzug bereit. Der war aus gutem Tuch. Sein Patenonkel Paul hatte in Friedenszeiten den Stoff gekauft und für ihn aufbewahrt. Mutter band den Kindern den Schal doppelt um den Hals und zog ihnen die Pudelmütze tief in die Stirn. Vermummt traten sie aus dem Haus. Der Sturm peitschte ihnen Schnee und Kälte in die Gesichter.

Konrad zog die Schultern hoch und kuschelte sich in seinen Mantel. Er schlug den Kragen so hoch, daß nur für seine Augen ein Spalt frei blieb. Hedwig schlang sich das braune Tuch von Großmutter um Kopf und Brust, und auch Vater und Mutter waren gänzlich eingemummt.

Die Bäume an der rechten Wegseite hatten zur Straße hin ein dickes Schneepolster. Waagrecht fegten weiße Schleier über Felder und Straßen. Der Sturm warf sich gegen die Bäume, heulte auf, hoch und laut. Die Birkenzweige bogen sich unter seiner Wucht, peitschten jedoch zurück, wenn er glaubte, sie gebrochen zu haben. Und dann schrie das Wetter lauter und wütender. Vater hielt sich in der Mitte der Straße. Mutter ging an seiner Seite und duckte sich hinter seine Schulter. Vater hielt sie umfaßt.

»Vater sieht aus wie ein Baum«, schrie Konrad in den Sturm. Seine Worte wurden ihm vom Mund weggerissen.

Für einen Augenblick schwieg der Aufruhr. Da hörten sie Stampfen und Klingeln von vielen feinen Silberglöckchen hinter sich.

»Brennscheres Gespann!« rief Konrad. Sie traten an den Wegrand zurück. Die leichten braunen Pferde rasten vorbei mit Geschelle und Gerassel.

»Janosch auf dem Bock sieht aus wie ein Schneemann«, rief Konrad der Schwester ins Ohr.

Olbrischts Frau saß mit der Tochter und den beiden Jungen allein im Schlitten. Sie gab Janosch ein Zeichen. Der Kutscher stemmte sich in die Zügel und brachte die aufgeregten Pferde dazu, auf der Stelle zu tänzeln. Sie warfen die kurzen kräftigen Hälse hoch und reckten die Nüstern in die Luft. Frau Olbrischt beugte sich heraus und winkte den Bienmanns zu. Der Sturm heulte von neuem heran. Frau Olbrischt öffnete den Schlag. Janosch rückte zur Seite und schlug das Knieleder zurück. Der weiße Schafpelz schimmerte auf. Konrad kletterte neben ihn.

Janosch gab die Zügel frei. Die Braunen schossen los, blitzende Hufe, klingende Schellen. Bei der Kreuzung, wo die Straße tiefer lag und völlig zugeschneit war, lenkte Janosch den Schlitten auf das platte Feld. Die Pferde griffen aus. Der Schlitten sauste nur so über den Schnee. Janosch brauchte alle seine Kraft für das Gespann. Unvermittelt fuhren sie ins Kirchdorf. Die Häuser glitten vorbei. Die Kirche lag dunkel. Vermummte Leute strömten durch die Pforte. Janosch fuhr vor.

»Wenig Schlitten in diesem Jahr«, urteilte Kurt und zeigte auf fünf, sechs dunkle Schattenberge unter den Tannen.

»Voriges Jahr waren es doch mehr als dreißig«, behauptete er.

Sie traten in das Kirchenschiff. Es lag in stiller Dunkelheit. Olbrischts gingen nach vorn in ihre Bank. Die Bienmanns fanden unter der Kanzel einen Platz.

»Wir werden die Krippe und den Altar sehen können«, flüsterte Hedwig ihrem Bruder zu.

Am Eingang der Sakristei schimmerte eine Kerze und tupfte eine Lichtkugel in die Dunkelheit. Es raschelte in den Bänken. Hier und da klapperte ein Rosenkranz. Die Orgel begann leise zu spielen. Es war Konrad, als ob Geigen und Flöten mit einstimmten. Ohne die Glocke zu ziehen, trat der alte Pfarrer aus der Sakristei. Drei Meßdiener begleiteten ihn mit dicken Kerzen. Ein vierter trug das Evangelienbuch behutsam wie einen großen Schatz. Die Farben ihrer Röcke leuchteten satt und lebendig. Die Orgel verstummte. Große Stille sank über die Kirche hin.

Der Pfarrer sang leise. Seine Stimme klang klar und hoch. Konrad mußte daran denken, daß Janosch gesagt hatte: »Der Pfarrer singt für das Herz.« Und bis tief dorthin drangen die Gottesworte von der Not des Volkes Israel und seiner Hoffnung und aller Menschen Erlösung. Mehr Meßdiener traten hinzu, heller strahlten die Kerzen. Die Babett, die den Küsterdienst übernommen hatte, seit ihr Mann bei den Soldaten war, zündete mit ihrem langen Stecken die Wachslichter an der Krippe an. Erst trat ein Engel aus der Dunkelheit, dann der Hirte, der unentwegt emporstarrte; der alte Schäfer und der Wolfshund wurden im gelben Licht sichtbar und bald die ganze Herde mit ihren Hütern. Immer weiter reckte die Babett ihren Stecken. Endlich erglühte das Licht im Stall.

»Denn heute ist euch der Heiland geboren, Christus der Herr«, sang der Pfarrer.

Brausend setzte die Orgel ein. Die Frauen- und Kinderstimmen jubelten, und die wenigen alten Männer brummten den Baß.

»Der Heiland ist uns geboren!« Der Pfarrer zog mit den Meßdienern in die Sakristei.

Immer mehr Kerzen erstrahlten. Der Altar glänzte auf. Durch die Luft wogte der Duft des gelben Bienenwachses. Hell läutete die Schelle.

Das Amt begann.

Nach dem Credo knieten alle nieder. Der Pfarrer sprach die Fürbitten, und langsam und ernst klang das »Erhöre uns, o Herr« der Gemeinde. In den ersten Jahren des großen Krieges hatte der Pfarrer immer die Namen der Gefallenen genannt. Doch nun waren es schon so viele.

Er betete: »Daß du denen gnädig seiest, die in der Erde Frankreichs ruhen, die im Schnee Rußlands erstarrten, deren Leben unter der Glutsonne Afrikas zerrann, die in Griechenland blieben, in Rumänien ihr Blut vergossen, in Ungarns Pußta verscharrt wurden, in Bulgarien starben, in Polens Sümpfen versanken, in den Bergen und Meeren Norwegens ihr Leben ließen, unter dem Schirokko Italiens zum letztenmal Mutter schrien, in Holland und Belgien fielen, die im Eisenhagel der Bomben umkamen in den Gauen und Städten des Reiches. Daß du uns vor der Flucht im Winter bewahren mögest.«

Es zitterten die Stimmen: »Erhöre uns, o Herr.«

»Daß du uns den Frieden schenken wollest.«

Sogar Katharina knurrte: »Erhöre uns, o Herr!«

Der Pfarrer kniete schweigend auf den Stufen. Lange Zeit.

Es war spät, als Babett endlich das Eisenhütchen über die Kerzen stülpte und die Flammen erstickte.

Janosch fuhr gerade vor, da traten die Bienmanns in die Nacht hinaus. Der Sturm hatte die Schneewolken weggetrieben. Tausend Sterne glitzerten hoch und kalt. Hinter einer kleinen schwarzen Wolke verbarg sich der Mond und säumte ihre Ränder mit einem hellen Lichtstreifen.

»Frohe Weihnachten!« wünschten sich die Bienmanns, die Olbrischts, die Nowaks.

»Wen soll ich nun mitnehmen?« lachte Frau Olbrischt und schaute rundum. Schon wollte Vater sich zurückziehen, da fuhr sie fort: »Sie mit Ihrer Frau auf jeden Fall.«

»Und Nowaks, bitte«, sagte Konrad leise.

Als Mutter ihn ängstlich anschaute, versicherte er: »Wir finden leicht den Weg. Wenn wir morgens zur Schule gehen, ist es auch dunkel, nicht, Hedwig?«

Das Mädchen nickte und schwieg.

»Na, los denn, steigt ein. Der Frost zieht in die Füße«, rief Frau Olbrischt und zog sich steif in den Schlitten.

»Werdet doch die Kinderchen nicht allein lassen wollen in dieser Nacht?« wehrte sich der alte Nowak. Doch seine Frau saß schon im Schlitten und rief hinaus: »Komm, Friedrich, komm; steig schon zu mir.«

»Geht der Straße nach«, mahnte der Vater.

Janosch beugte sich vom Bock zu Konrad hinab und flüsterte: »Und wenn die Wölfe kommen, wie bei deinem Großvater Anno 1885, dann bete: ›Heiliger Franziskus, steh mir bei.‹ Denn der versteht sich auf die Tiere.«

»Wölfe!« Noch ehe Konrad sich vom Schrecken erholt hatte, glitt der Schlitten davon.

»Komm, laß uns gehen«, sagte Hedwig und lief eilig voran.

Bald schritt der Junge neben ihr. Der Wind wehte immer noch kalt und schnitt ihnen in die Haut. Das Dorf blieb zurück. Konrad schaute sich oft um. Ständig lauerte er aus den Augenwinkeln und suchte auf dem weiten Feld unter dem Wald. Schatten sprangen auf und glitten dahin. Mehr als einmal rief er den Beistand des heiligen Tierfreundes Franz an. Ihm wurde warm. Die Schlittenspuren waren deutliche Wegweiser. Erst drei übereinander, dann schließlich nur noch die vom Gutsschlitten.

Endlich bog auch diese Spur vom Weg ab. Ein Stück liefen sie noch zwischen den Bäumen in der Mitte der Straße. Der dünne Pulverschnee knirschte unter ihren Sohlen. Als sie den Hohlweg erreichten, sagte Hedwig: »Wir gehen auf der linken Seite über den Damm.« Er folgte ihr. »Du, Hedwig, hast du von den Wölfen gehört? Sie sollen aus Polen hereingekommen sein.«

»Was, Wölfe? Du hast dir einen Bären aufbinden lassen.«

»Und wenn sie kommen?«

»Großvater hat erzählt, daß der letzte 1908 hier bei der Jagd erschossen worden ist.«

»Aber nicht in Polen. Drüben hat es immer Wölfe gegeben.«

»Mach mich nicht bange.«

»Wir werden auf den Baum springen, weißt du?«

»Wenn du glaubst?«

Nun schaute auch Hedwig aus nach den wilden Jägern.

»Da, sieh«, zischte Konrad erschreckt. Er trat einen Schritt zurück zur Straße hin, verlor den festen Boden und brach in den losen Schnee bis über die Brust ein.

Hedwig lachte leise und reichte ihm die Hand zur Hilfe.

»Sei still. Ich habe es deutlich gesehen. Es war ein Wolf.«

Seine Gewißheit erschreckte sie und übergoß sie mit Furcht und Kraft. Mit der linken Hand hielt sie sich an einem Birkenstamm und zog. Konrad krabbelte heraus, weiß überpudert.

»Sieh, dort«, er zeigte zum Wald hinüber. Beide schmiegten sich eng an den Baum. Jetzt sah auch Hedwig, was den Bruder in den Schnee geworfen hatte. Deutlich bewegte sich ein schwarzer Schatten auf sie zu.

»Wölfe gehen in Rudeln, Konrad«, hauchte sie.

Der Schatten kam näher. Die Geschwister standen starr.

»Kein Wolf, Konrad; ein Mann ist es.«

Sie wollte weiter, doch er hielt sie zurück.

»Er kommt die Straße von Ortelsburg herauf.«

»Was sucht ein Mann hier um diese Zeit?«

Vielleicht kann ein Mann schlimmer sein als ein Wolf, dachte Hedwig und drückte sich enger an den Bruder.

Der Fremde lief vor ihnen auf die Kreuzung und eilends weiter auf die Grenze zu, gehetzt, als ob er verfolgt würde.

Die Kinder warteten, bis er ihnen aus den Augen war, und noch ein wenig länger.

»Wie still es heute ist, Hedwig. Kein Schuß fällt.«

»Wie im Frieden«, antwortete sie.

»Frieden«, sagte er leise. »Frieden, wie das wohl sein wird?«

»Ich weiß es auch nicht, Konrad.«

Sie erreichten die große Kurve. Der Himmel war jetzt ganz blank gefegt und schwarz und tief. »Schwester«, sagte Konrad.

»Ja?«

»Weißt du, daß Mutter im nächsten Jahr ein Kind bekommt?«

»Ja«, antwortete sie nur.

»Weißt du es von der Mutter?« fragte er.

Sie schwieg.

»Ich will sie liebhaben, Schwester.«

Da zog sie ihren Handschuh aus, strich ihm über die Backe und sagte: »Bist ein guter Junge, Konrad.«

»Weißt du schon, wer die Paten sein sollen?«

»Mutter sagt, Tante Grete und Onkel Thomas aus der Tuchler Heide sollen Paten werden. Aber wer weiß, was mit denen ist. Die Russen sind sicher längst dort.«

»Wer weiß«, sagte Konrad. Ihm fiel sein Vetter Kristian ein.

Im letzten Herbst hatte der ihn noch in Leschinen besucht, und sie hatten ein Baumhaus gebaut und waren im Fluß geschwommen.

»Ich schenke der Mutter ein Kinderjäckchen«, verriet die Schwester. »Bei Großvater drüben habe ich es heimlich gestrickt.«

»Von mir bekommt sie einen Wollekasten. Aus Kirschbaumbrettern.«

»Fein«, lobte sie. »Das wünsche ich mir auch wohl einmal.« Wie gut das Kind die Menschen macht und ist doch noch nicht einmal geboren, dachte sie, bevor sie ins Haus trat.

Vater hatte auf die Kinder gewartet. Auf dem Kamin standen zwei Tassen Pfefferminztee. Sie tranken. Wohlige Wärme und Müdigkeit überkamen sie. Noch während der Vater sie zudeckte, schliefen sie ein.

Albert mußte am nächsten Morgen lange rufen und rütteln, bevor er den Bruder aus dem Schlaf riß. Sie zogen sich in der Küche an und sangen. Die Lichter des Adventskranzes brannten. Jedes Kind trug eine dünne Kerze in der Hand.

Vater trat in die Küche und ließ die Tür zum Flur einen Spalt breit auf. Die Schelle erklang. Am Adventskranz steckten die Kinder ihre Kerzen an. Vater nahm den kleinen Franz auf den Arm und trug ihm das Licht. Hell strahlte die Tanne im Glanz der zwölf Kerzen. Die silbernen Nüsse spiegelten das Licht wider, und die bunten Plätzchen und roten Äpfel leuchteten.

Die Kinder standen und staunten.

Vor der Krippe sagte Albert ein Gedicht auf und stellte sein Licht vor den Stall. Hedwig und Konrad steckten ihre Kerzen in den Leuchter zu den Hirten. »Stille Nacht«, sangen sie. Dann nahm die Mutter das weiße Tuch vom Tisch, und Teller und Päckchen waren zu sehen.

»Ein Bogen und Pfeile«, jubelte Albert.

»Die Kiste dort ist auch für dich.« Mutter zeigte auf eine Holzkiste. Albert öffnete den Deckel und schlug die Hände zusammen: »Ein weißes Kaninchen! Seht nur, ein richtiges weißes Kaninchen.«

Er hob es am Nackenfell aus der Kiste und bestaunte die roten Augen und den Glanz des Felles. Das Näschen des

Tieres zuckte und schnüffelte.

»Es hat einen langen Schnurrbart«, freute sich Albert. »Und wirklich rote Augen, ganz rote Augen. Ich werde es Nikolai nennen.«

Hedwig hielt sich ein neues Kleid vor. Niemand hätte darin Großmutter Lisas Sonntagskleid wiedererkannt.

Konrad wog ein winziges Päckchen in der Hand und öffnete es zaudernd. Vater trat zu ihm. Der Junge hob den Deckel. Seine Augen wurden groß. Er blickte stumm auf den Vater, ängstlich noch, ob das ein Irrtum sei. Doch Vater wies ihn an Großvater. Der hob die kleine, goldene Taschenuhr an ihrer kurzen Kette aus der Schachtel und erzählte: »Die hat mein Vater mir geschenkt, und ich habe sie Johannes, deinem Vater, weitergegeben, als er achtzehn Jahre alt war. Und nun bekommst du sie. Bewahre sie treu, damit du sie einst an deinen ältesten Sohn weitergeben kannst.«

Der Morgen brach grau herein und verhieß, daß der Tag mehr Schnee bringen werde.

In der Nacht zum zweiten Feiertag wurden plötzlich alle Männer zusammengeholt. Der Wald sollte durchsucht werden. Russen seien mit dem Fallschirm abgesprungen, hieß es. Da fiel den Kindern der Mann ein, der ihnen in der Weihnachtsnacht begegnet war. Vater hörte sie an, doch verbot er ihnen, weiter darüber zu reden.

10

Das neue Jahr war ins Land geschritten. Mit ihm wuchsen die Sorgen der Erwachsenen und die Angst der Kleinen. Immer häufiger wurde Vater mit allen Männern des Dorfes in den Wald befohlen. Panzergräben wurden geschaufelt und Erdwälle aufgeworfen. Niemand nahm Rücksicht auf Vaters Krankheit. Müde und hart hustend kehrte er zurück und kroch, ohne einen Bissen zu essen, ins Bett.

Die Ferien gingen zu Ende. Der Lehrer stellte sich am ersten Schultag vor die Klasse. Doch statt von Bruchrechnungen und Rechtschreiben zu sprechen, sagte er müde und mit leiser Stimme: »Kinder, die Schule wird für die nächsten Wochen ihre Türen schließen.«

Sie verstanden ihn nicht. Er sah es an ihren Augen.

»Ihr habt schulfrei. Vorläufig ist keine Schule mehr.«

Kein Jubel brach los, kein Freudengeschrei.

Schließlich stand Grunwald zögernd auf und fragte: »Warum, Verzeihung, warum, Herr Lehrer?«

Da trat der Lehrer zu der Europakarte mit den staubigen Fähnchen, nahm das rote Zeichen, das weit in Rußland am Wolgaknie steckte, hielt einen Augenblick inne und spießte es dann auf Königsberg. »Deshalb«, sagte er und zog die Schultern hoch, als ob ihn fröstelte. Eine Weile noch saßen die Kinder mit erschreckten Gesichtern.

Der Lehrer stand vor ihnen, traurig und schweigsam. Er blickte von einem zum andern, nicht lange, und doch war es Konrad, als blickte er durch ihn hindurch. Auf einmal reckte er sich auf und faltete kurz die Hände. Die Kinder ängstigte das Ungewohnte. Dann schlug er ein großes Kreuz über sie. Seine Lippen bewegten sich, obwohl Konrad keinen Laut vernahm. Grußlos wandte er sich zur Tür. Er verließ seine Klasse, ohne sich noch einmal umzusehen.

Da packten sie ihre Taschen und schlüpften still und bedrückt in die Mäntel. Der Wind schlug die Schultür hinter ihnen hart ins Schloß.

Kurz vor ein Uhr saßen sie in Großvaters Holzhaus. Das Radio war eingeschaltet. Vater hatte früher nie Zeit und Lust gehabt, Radio zu hören. Jetzt fand er sich pünktlich um ein Uhr ein. Er breitete die Karte von Ostpreußen aus. Sie war schmutzig und abgegriffen. Hinter die Knickstellen hatte Hedwig schmale Leinenstreifen kleben müssen.

Ein roter Pfeil zog sich über die Memel und die Stadt Tilsit hin auf Königsberg zu. Ein zweiter trennte sich in Litauen von diesem und brach bei Lyck in das Land ein.

»Hier meldet sich der Deutschlandsender. Es ist dreizehn Uhr. Wir senden Nachrichten.«

Die Gespräche brachen ab. Alle lauschten gespannt.

»Zunächst der Wehrmachtsbericht: Im Zuge einer Frontverkürzung im Osten wurde heute in den frühen Morgenstunden das Ostufer der Memel von unseren Verbänden geräumt. An der Südostgrenze Ostpreußens gelang es durch tapferen Einsatz des Heeres und der Volkssturmeinheiten, den russischen Angriff trotz feindlicher Panzerverbände zum Stehen zu bringen. Dabei wurden 18 schwere russische Panzer vom Typ T 34 vernichtet. Eine unmittelbare Gefahr besteht für die Bevölkerung Ostpreußens nicht. An der Westfront . . .«

Vater war aufgestanden und hatte das Radio ausgeschaltet. Er zog seinen roten Pfeil bis über Lyck hinaus.

»Reich mir doch die Karte einmal herüber«, bat Großvater. Schweigend betrachtete er sie und sagte dann: »Genau wie damals, im August Anno 1914.« Nach einer Pause sprach er weiter: »Aber jetzt folgt kein Siegessommer mehr.«

»Großvater, wie war das 1914?« wollte Albert wissen.

Konrad rückte nahe an Großvaters Bett. Selbst Vater setzte sich wieder. Großvater sah unschlüssig auf die Karte.

»Am 20. August 1914 brach das Unglück herein. Die Russen marschierten ins Land wie heute. Die Menschen flohen aus ihren Dörfern. Wir zogen Hals über Kopf bis in die Gegend von Guttstadt. Bis dorthin kam die Front nicht. Aber das Schießen war zu hören, und die Häuser und Scheunen waren überfüllt mit Frauen und Kindern aus der Ortelsburger Gegend. Wir hatten den Wagen noch gar nicht ausgepackt, als Alexander Wassiljewitsch Samsonow mit seinen Armeen Allenstein erreichte. Doch am 28. August schlug Hindenburg Samsonows Narew-Armee und trieb die Russen zurück. Die Schlacht bei Tannenberg. 191 000 Russen, versunken in den Sümpfen, getötet, gefangen. – Diese schrecklichen Kriege! Nichts bringen sie als Tränen und Tod.«

Großvater schwieg erschöpft. Schwarze Ringe lagen unter seinen Augen.

»Aber diesmal gibt es keinen Siegessommer«, wiederholte der Vater.

»Sie halten die Front. Ihr habt es selbst im Radio gehört«, warf Konrad ein.

»Wir mit unserem Volkssturm aus Kindern und Greisen, wir können sie wohl nicht mehr halten.« Und doch klang eine leise Hoffnung durch Vaters Worte.

»Achte auf die Weichsel, auf Bromberg, Johannes, auf Thorn«, sagte Großvater leise. Er öffnete die Augen nicht beim Sprechen.

»Was, Weichsel?« Vater schlug mit der Hand in den Wind.

»Vergeltung für Tannenberg, Johannes.«

Da verstand ihn der Vater, und Konrad sah, wie er von Bromberg aus mit dem Finger die Weichsel entlang strich bis nach Danzig. Er stieß einen leisen Pfiff aus und strichelte einen dritten Pfeil von Bromberg auf die Ostsee zu.

»Wenn es so kommt«, sagte er, »dann sind Grete und Thomas sicher schon geflohen. Wenn die Russen aus der Tuchler Heide kommen . . .«

»Dann sind wir ja . . .« flüsterte Konrad.

»Jawohl, Sohn, dann sind wir rings vom Feind eingeschlossen.«

»Komm«, forderte der Vater Konrad auf. »Wir wollen alles bereitmachen.«

Der Wagen stand fertig. Ein Gewölbe aus Segeltuch spannte sich über den Kasten. »Wie ein Zelt«, hatte Albert gesagt.

»Wir packen die Werkzeugkiste.«

Er dachte an Beil, Nägel, Hammer, Zange, Sturmlaterne, Wagenheber und vergaß nicht, für den braunen Lotter passende Hufeisen und spitze Hufnägel einzupacken.

»Wie lange warten wir noch?« fragte Konrad. Am liebsten wäre er gleich aufgebrochen.

Aber wohin? Wo sollten die vier Kühe bleiben, die Enten, die Hühner, die Schweine? Wo Alberts Kaninchen? Was geschah mit der Ernte, dem Roggen in den Säcken, dem Heu und Stroh in der Scheune, den gelben Rüben im Keller, wer sollte die Kartoffeln essen? Was sollte mit Großvater geschehen?

Als sie am Abend in ihren Betten lagen, hörte Konrad seine Schwester leise weinen.

»Was ist, Hedwig?«

Sie zog sich die Decke über den Kopf. Er tastete sich zu ihr hinüber. Ihre Schultern zitterten.

»Was ist, Schwester?«

Sie schlang ihm die Arme um den Hals. »Ich will nicht fort von hier, Konrad. Ich will nicht fort von Leschinen.«

11

Zunächst schien es so, als habe Großvater sich geirrt. Die Russen kamen von Osten und Südosten und überschritten die Memel mit einer ganzen Armee und drangen Tag für Tag weiter vor.

»Soldaten!« rief Albert eines Tages durch den Türspalt in die Küche und rannte sofort wieder davon. Mutter faßte sich ans Herz. Sie dachte an Vater, der am frühen Morgen Lotter vor den leichten Wagen gespannt hatte und in die Stadt gefahren war. Mit Großvater stand es schlecht. Das Telefon bei Olbrischt lag seit Tagen still und tot. Da hatte sich Vater entschlossen aufgemacht, um Dr. Lukowski zu holen.

Konrad sprang Albert nach.

Die Feldgrauen gingen in kleinen Gruppen dem Wasser zu. Noch trugen sie den Stahlhelm am Koppel. Immer mehr kamen und eilten durch das Dorf. Die Warczak bot einem einen Becher Milch an. Der winkte müde ab. »Wohin?« fragte sie einen anderen. »Dort hinüber«, antwortete er. Das sah sie selbst und wurde nicht klüger. Die Bienmannskinder standen eng beisammen. Hedwig hatte Franz auf dem Arm. Ein Soldat trat zu ihnen. Er trug ein leichtes Maschinengewehr auf der Schulter. Sein Bart war ein paar Tage alt. Er griff in die Tasche, beugte sich zu Franz hin und hielt ein rotes Bonbon in den Fingern. Franz griff danach und steckte es in den Mund.

»Danke«, rief Albert für seinen Bruder. Der Soldat lachte und fand auch eins für ihn.

»Es ist das letzte«, sagte er zu Hedwig.

»Nicht schlimm«, antwortete sie.

Ein offener Personenwagen preschte heran und bremste.

»Was ist los, Mann?«

Der Soldat mit dem Maschinengewehr machte die Andeutung einer strammen Haltung und sagte ruhig: »So alt ist meiner auch wohl jetzt, Herr Hauptmann.«

»Na und?« fragte der, schon halb besänftigt.

»Und ich habe ihn erst einmal gesehen.« Der Soldat senkte den Kopf. »Achtzehn Monate schon keinen Urlaub mehr, Herr Hauptmann, wissen Sie.«

Der Hauptmann schwieg.

»Achtzehn Monate ist eine lange Zeit, Herr Hauptmann, eine sehr lange Zeit.« Grußlos ging er den anderen nach.

»Verdammter Krieg«, murmelte der Hauptmann. Sein Gesicht war müde und blaß. Dann wandte er sich an die Kinder. »Wollt ihr denn noch nicht los?« Er deutete zu Olbrischts hinüber. Dann gab er dem Fahrer das Zeichen. Der Motor ratterte heller.

Die Kinder rannten zum Gutshof. Der letzte von drei schwerbeladenen Wagen bog gerade in die Straße ein.

»Wo ist Janosch?« schrie Konrad. Er suchte den alten Knecht vergebens unter den Mägden und Kindern, die auf dem offenen Wagen dick und eingemummt zwischen Kisten und Bündeln hockten.

»Was weiß ich?« war die Antwort. Eine alte Magd rief: »Bei den Kühen sitzt er. Bei den Kühen im großen Stall.«

Hedwig trug Franz nach Hause. Albert folgte ihr. Konrad suchte Janosch. Er fand ihn im Halbdunkel des Stalles.

»Warum ziehst du nicht mit deinen Leuten?«

»Und wer sorgt für diese?« Janosch zeigte auf die Kühe, die Schweine. »Ich bleibe hier. Ich bin ein alter Mann.« Er klopfte auf sein Holzbein. »Ich bleibe hier.« Er strich der Rotbunten das Fell. »Aber ihr, Jungchen, ihr müßt fliehen. Es wird bald schlimm zugehen hier.«

Als ob seine Worte bekräftigt werden sollten, zog ein hohes Heulen durch die Luft und brach ab in einer Explosion.

Die Kühe warfen die Köpfe hoch. Die Ketten klirrten.

»Na, ruhig, ruhig«, mahnte Janosch. »Das war noch nicht im Dorf. Am Fluß vielleicht.«

Dann stand er auf. »Warte ein Weilchen, Jungchen.«

Er hinkte davon. Konrad blieb allein bei den unruhigen Tieren zurück. Er legte die Hand zwischen die Ohren einer Kuh. Bald hörte er wieder Janoschs Holzbein.

»Da«, sagte dieser, und seine Stimme klang ein wenig heiser.

»Nimm das von mir. Du warst ein gutes Jungchen«, und er legte Konrad einen Rosenkranz in die Hand. Seine Perlen waren brauner rauchiger Bernstein. »Wirst ihn brauchen.«

Konrad konnte nichts sagen.

»Nun aber schnell, Jungchen, lauf zur Mutter.« Er faßte Konrad bei den Schultern und drehte ihn zur Tür hin.

Konrad ging. Doch bevor er in den düsteren Tag hinaustrat, drehte er sich noch einmal um. Janosch hielt den Kopf in das Fell der Kuh gepreßt und hatte ihr die Arme auf den Rücken gelegt. Da rannte Konrad nach Hause.

Vor Willenberg war eine Batterie in Stellung gegangen. Sie schoß eine Stunde lang ohne Pause. Die Abschüsse klangen hohl und ließen die Scheiben leise zittern. Selten kam eine Antwort von den Russen. Das Dorf blieb noch verschont. Die Uferberge entzogen es der Feindeinsicht. Lange bevor es dunkel wurde, kehrte Vater zurück. Konrad eilte ihm entgegen. Vater kam ohne Arzt.

»Reib Lotter gut ab. Er hat sich sputen müssen«, befahl ihm Vater und ging in die Küche.

»Was ist los, Johannes?« fragte die Mutter. Zuversicht lag wieder in ihren Augen, seit sie den Wagen auf der Straße gehört hatte.

»Dr. Lukowski ist fort, Agnes, und viele andere auch. Ich hatte Mühe, mit meinem Wagen durchzukommen. Viele sind bereits unterwegs.«

»Dr. Lukowski ist fort? Ich hatte ihn für einen Mann gehalten, der bis zuletzt ausharrt«, wunderte sich die Mutter.

Vater blickte zur Seite und murmelte etwas. Albert meinte, es hätte nach: »Das hat er wahrhaftig« geklungen.

»Die Olbrischts sind auch gegen Mittag weg«, berichtete Hedwig.

»Sieh an, der Olbrischt zuerst.« Vater lächelte ein wenig.

»Wir werden die Vorräte aus dem Schuppen holen. Großvater hatte recht. Sie stoßen an der Weichsel zur Ostsee hin vor. Das Schießen kommt von Westen, nicht von Osten. Morgen in aller Frühe brechen wir auf. Wir müssen uns beeilen, wenn wir noch hinausschlüpfen wollen.«

»Und Großvater?«

»Wir bauen ein Bett auf dem Wagen.«

Vater hustete stark. »Die warme Küche«, keuchte er.

»Lauf hinüber und sage Großvater, daß Vater zurück ist«, bat Mutter.

Konrad lief davon.

Großvater lag hoch gebettet. Konrad faßte seine Hand. Der alte Mann öffnete die Augen nicht, erwiderte aber leicht den Händedruck des Jungen.

»Vater ist zurück aus der Stadt.«

Der Kranke flüsterte. Konrad beugte sich zu ihm. »Jungchen. Sag ihnen, sie sollen immer zusammenbleiben. Niemals auseinandergehen, hörst du!«

»Ja, Großvater.«

»Und wenn du ein Mann bist, Jungchen, sorge mit, daß Frieden bleibt.« Er atmete mühsam. »Denke nie, du könntest allein Streit und Krieg nicht aufheben. Jeder ist wichtig. Jeder einzelne Mensch. Denn der Frieden, Jungchen, der Frieden ist ein Gut des Himmels, das du verdienen mußt.«

Seine Hand faßte den Jungen fester.

»Du wirst eine neue Heimat finden, Jungchen. Aber im Herzen wirst du immer dieses Dorf tragen, ein langes Leben.«

»Ja, Großvater.«

Jetzt schlug der alte Mann die Augen auf. Er starrte auf das Kreuz. »Vater unser«, begann er.

Konrad fiel ein. Er betete allein zu Ende. Großvater lag da und blickte fest auf das Kreuz. Sein Gesicht leuchtete klar und weiß. Sorgen und Schatten der Krankheit waren daraus hinweggenommen.

Eine Weile blieb Konrad. Dann zog er sachte seine Hand aus der des Großvaters und schlich aus dem Haus. Es schnürte ihm den Hals zu.

Mutter saß vor dem Herd. Er warf den Kopf in ihre Schürze.

»Großvater ist tot.« Fremd klang seine Stimme.

Vater zog die Mütze vom Kopf und eilte hinüber. Hedwig und Albert kauerten sich auf die Bank und weinten.

»Lukas Bienmann ist tot«, sagte die Mutter. »Er wollte nicht fort von hier. Nun bleibt er für immer in seinem

68

Dorf.«

Hedwig hütete das Haus und die Kinder. Mutter ging zu Warczaks hinüber und trug ein weißes Hemd und ein großes Leinentuch über dem Arm. Die Warczak wußte bereits von dem Toten. Alle wußten es schon. Nichts weht schneller durch die Gemeinde als der letzte Atemzug eines Menschen.

»Gehst du mit und hilfst ihn betten?« fragte die Mutter.

»Ich helfe dir gern, Agnes. Der Lukas war ein guter Mann.«

»Ja«, sagte die Mutter, und ihre Augen glänzten dunkel. Sie schritten hinüber, langsam und ernst. »Und der Sarg?« fragte die Warczak.

»Johannes hat ein breites Bett zurechtgestellt. Wir decken das Tuch über ihn.«

»Was für Zeiten«, jammerte die Nachbarin, »nicht einmal ein Sarg ist da für die Toten.«

Sie gingen daran, dem großen, alten Mann den letzten Dienst zu erweisen.

»Er liegt da wie ein Patriarch«, staunte die Warczak und trat einen Schritt zurück.

Später fragte Albert: »Wo ist Großvater jetzt?«

Sie antwortete mit größter Gewißheit: »Er ist im Himmel.«

»Und der da drüben?« wollte Albert wissen. Er deutete zum Holzhaus hinüber.

»Das ist das Kleid, das er zurückgelassen hat, Junge, nur ein Kleid.«

Sie standen im Hof, als die erste Granate am Ende der Dorfstraße krepierte. Konrad warf sich zu Boden. Auch Vater duckte sich. Die Warczak trat aus dem Haus. Konrad schüttelte sich den Schnee von den Kleidern.

»Wir brechen noch heute auf, Bienmann«, rief sie.

»Wann geht es bei euch los?«

»Morgen früh, wenn wir den Vater beerdigt haben.«

»Na, hoffentlich hält die Front bis dahin.«

»Wird sie schon, Frau Warczak. Und alles Gute.«

Die Kinder zogen nur Jacken und Schuhe aus, als sie am Abend ins Bett gingen. Zwar war kein Geschoß mehr im Dorf niedergegangen, aber in der Ferne bellte während der Nacht immer wieder ein Maschinengewehr.

Vater verließ noch spät das Haus, lief zum Friedhof hinüber und hackte ein Grabloch in die gefrorene Erde. Heiß und vom Husten geschüttelt kehrte er erst nach Mitternacht zurück.

12

Es war die erbärmlichste Beerdigung, die je durchs Dorf gezogen war, als sie Großvater im ersten Licht hinaustrugen. Vater ging voran. Mutter und Konrad hielten das breite Bett hinten. Kein Priester begleitete sie. Albert trottete mit gefalteten Händen mit. Hedwig trug Franz auf dem Arm. »Betet, Kinder«, flüsterte Mutter. Still und hastig betraten sie den Friedhof. Neben die Grube stellten sie das Bett auf die gefrorenen Schollen.

Vater betete laut: »Herr, aus Staub hast du seinen Leib erschaffen, zu Staub kehrt er wieder zurück. Seine Seele aber nimm zu dir, Herr, in dein Reich.«

»Amen.«

»Das ewige Licht leuchte ihm bei deinen Heiligen in Ewigkeit.«

»Amen.«

Einen Augenblick verharrten sie noch. Hedwig weinte ein wenig. Schließlich befahl Vater: »Schaut euch nicht mehr um und geht.«

Die Granaten pfiffen hoch über sie hinweg und ließen die Luft erzittern. Am Haus holte Vater sie ein.

»Was ist dort los?« fragte Hedwig und deutete auf die Stalltür. Sperrangelweit stand sie offen.

Konrad lief in den Stall, kehrte aber sofort wieder zurück. »Die Kühe sind fort. Alle vier Kühe.«

»Auch beschlagnahmt?« rief Vater, dachte eine Weile nach und sagte dann: »Du, Konrad, spannst Lotter vor den Wagen. Ihr anderen packt Betten, Kleider, Vorräte ein. Ich sehe nach den Kühen.«

»Was willst du mit den Kühen?« fragte Mutter müde.

»Wir werden in einigen Tagen zurückkehren. Was wird dann aus uns, wenn wir ohne Kühe sind?«

»Wir können sie doch nicht mitnehmen, Johannes.«

Aber Vater ließ sich nicht umstimmen. Er holte das Fahrrad und fuhr vorsichtig über den vereisten Weg.

Konrad war noch nicht mit dem Anspannen fertig, als er das Gebrumm der Rotbraunen hörte. Vater trieb die Kühe zurück, alle vier. »Was nun?« fragte die Mutter.

»Ich habe sie aus der Herde herausgeholt. Vom Gut haben sie alle Kühe genommen. Sogar die, die jeden Tag kalben können.«

»Janosch!« rief Konrad. »Janosch bleibt im Dorf. Bring doch die Kühe zu Janosch. Der wird sie bestimmt versorgen.«

»Gut, Junge. Das ist eine Lösung. Treibe sie hinüber und bitte Janosch, sie für ein paar Tage in Pflege zu nehmen.«

Konrad nahm einen Stecken und zog davon. Janosch war nicht zu finden. Da band Konrad die Kühe an leere Plätze, warf ihnen einen Berg Heu vor und verließ den Stall. Janosch saß auf der verschneiten Bank.

»Eure Kühe, Jungchen?«

»Ja.«

»Sag deinem Vater, ich werde für sie sorgen. Immer.«

»Nur ein paar Tage, Janosch, bis wir zurück sind.«

»Lauf zu, Jungchen.« Ein Lächeln zuckte um seinen Mund, ein Lächeln, das wußte, wie lange die »paar Tage« sein mochten, wie lange ...

Die Mutter war in den Wagen gestiegen und ordnete das Bettzeug auf der Truhe, in die sie die guten Kleider gepackt hatte. Albert trug eine Holzkiste herbei.

»Was ist das?« fragte Hedwig.

»Mein kleiner Nikolai.«

Konrad öffnete das Hofgatter. Da schlug sie ein. Kein Pfeifen hatte sie angekündigt. Ein harter, trockener Knall schoß in die Ohren. Die Spitze der Giebelwand stürzte ein. Vater riß an Lotters Zaum. Das Pferd sank in die Knie, sprang dann zitternd auf, stampfte wild auf der Stelle und schüttelte die Mähne. Mutter kletterte blaß vom Wagen. Die Kinder drängten sich um sie.

»Was ist? Ist euch etwas zugestoßen?« rief Vater, der nicht vom Pferd weg konnte. Mutter schüttelte den Kopf.

»Einsteigen! Wir fahren los.«

Wieder schlug es ein. Weiter weg diesmal. Sie sprangen in den Wagen. Vater lief neben dem Pferd und führte es. Sie waren nicht weit vom Dorf, da rief Hedwig: »Bei Nowak brennt's.« Vater hielt an. Alle schauten zum Dorf hinüber. Schwarz wälzte sich der Qualm aus dem Dach des großen Holzhauses.

»Weiter«, drängte die Mutter.

Lotter fiel in Trab. Vater schwang sich auf den Bock. Konrad rückte neben ihn. Nun donnerte es hinter ihnen, Schuß auf Schuß. Aber die Einschläge blieben weiter zurück. Schließlich hatten sie den großen Wald erreicht. Konrad blickte sich noch einmal um. Rauch hatte Leschinen wie mit einem Schleier überzogen.

Konrad nahm seine Uhr heraus. »Neun Uhr und dreißig Minuten«, kam es über seine Lippen, obwohl ihn niemand nach der Zeit gefragt hatte.

»Wir fahren heute nur bis zur Tante in Eschenwalde«, sagte Vater. »Vielleicht können wir dann morgen zusammen mit Elisabeth weiterfliehen. Hoffentlich ist Eschenwalde weit genug«, zweifelte er.

Nach einer Weile fragte er: »Habt ihr den Schinken aus dem Rauch auf dem Wagen?«

»Nein.«

»Und die Würste?«

»Nur drei und drei Brote.«

»Nun«, tröstete Vater, »die Hauptsache ist, daß wir mit heiler Haut davongekommen sind. Alles andere wird sich schon finden.«

Insgeheim aber dachte er: Wie soll das nach drei Tagen mit uns werden? Sie schienen die letzten zu sein, die geflohen waren. Der Schnee auf der Straße war zerstampft und zerwühlt von Rädern und Hufen. Aber Fuhrwerke sahen sie keine.

»Bald werden wir wieder heim können.« Hedwig schien der Gedanke gar nicht zu kommen, daß die Flucht lange dauern könnte. »Die Soldaten jagen die Russen schon wieder zurück.«

Gegen Mittag gelangten sie nach Eschenwalde. Mutter hatte ein wenig geschlafen und wachte erst auf, als der Wagen im Hof vor Tantes Haus hielt. Die rundliche Frau eilte herzu und begrüßte die Verwandten herzlich.

»Ich habe schon auf euch gewartet. Kommt alle herein und trinkt eine Tasse Kaffee. Und für den Kleinen«, sie nahm Franz auf den Arm, »für den Kleinen gibt es süßen Brei.«

»Wie ist es denn hier?« erkundigte sich Vater.

»Wir müssen morgen früh um elf Uhr weg sein. Sie kommen von Bromberg her und wollen uns einschnüren.«

»Wie Großvater gesagt hat«, erinnerte sich Konrad.

»Großvater«, flüsterte die Tante und schlug ein Kreuz. Schon in der Nacht hatte die Warczak die Nachricht bis hierher getragen.

Konrad wandte sich an Hubertus: »Großvater hat es gewußt. Er hat genau gewußt, daß sie uns einkesseln wollen. Rache für Tannenberg.«

»Großvater hat alles gewußt«, fügte Albert hinzu.

»Hoffentlich ist Thomas mit Grete und den Kindern
rechtzeitig weggekommen«, sagte Vater.

»Wie ich Thomas kenne, wird er seine Uhrmacherwerk-
statt erst im letzten Augenblick verlassen haben. Er ist
ein Dickkopf«, meinte Tante Elisabeth.

Sie waren kaum warm geworden, da stand Vater auf.
Fest klang seine Stimme: »Es läßt mir keine Ruhe, daß
wir das Haus unverschlossen gelassen haben. Außerdem
sind unsere Vorräte gering. Ich gehe mit Konrad noch
einmal nach Leschinen zurück.«

»Johannes, das ist viel zu gefährlich.«

»Ich kann mit dir gehen, Onkel«, bot sich Hubertus an.

»Ein Mann gehört wenigstens ins Haus, Hubertus.« Vater ging zur Tür.

»Johannes«, bat Mutter.

»Es muß sein«, beharrte er.

Konrad freute sich halb, daß Vater ihn mitnehmen wollte, halb schreckte ihn der Marsch in die Nacht. Er ge-
stand sich den Wunsch nicht ein, lieber bei Mutter und
Geschwistern zu bleiben. So zogen sie hinaus. Die Sonne
war längst hinter dem Wald versunken, und es schien
Konrad, als läge auf den Stämmen der Birken noch ein
Hauch ihres rosigen Scheins.

13

Im Wald war es fast dunkel. Ausgetreten zog sich der Pfad zwischen den Fichtenstämmen hin. Sie gingen nebeneinander. Vater legte die Hand auf Konrads Schulter.

»Warum gehst du zurück, Vater?«

»Ich denke, Junge, die Russen stoßen bei uns nur ganz langsam vor. Sie wollen zum Meer. Vielleicht gelingt es ihnen, Ostpreußen einzukesseln. Es mag sein, daß wir viele Tage unterwegs sind. Wir brauchen die Vorräte dringend.«

Lange schwieg er.

»Die meisten Menschen denken in den Zeiten der Not nur an die eigene Haut. Sie machen ihr Herz hart. Die sind ganz arm dran, die in diesen Tagen auf Hilfe von Fremden angewiesen sind. Deshalb, Junge.«

»Werden die Menschen wie Wölfe, Vater?«

Vater schien betroffen und zögerte mit der Antwort.

»Es gibt auch andere«, widersprach er schließlich. »Dr. Lukowski war ein anderer.«

»Was ist mit dem Arzt, Vater?«

»Ich erzählte euch, daß er fort sei.«

»Stimmt das nicht, Vater?« Konrad horchte auf. Vater sprach doch sonst nur die Wahrheit.

»Ja, es stimmte. Doch er ist fort für immer. Erschossen worden ist er vor seinem eigenen Haus.«

Überall Tote, dachte Konrad.

Sie betraten die große Lichtung, auf der ihre beste Wiese lag. Jetzt erkannte auch Konrad den Weg wieder.

»Das kam so«, begann Vater. »Ich wußte schon seit einigen Wochen, daß Dr. Lukowski in seinem Haus irgendwen verborgen hielt. Als er zum erstenmal zu Großvater kam, da erbat er sich Nahrungsmittel von uns. ›Nicht für mich‹, sagte er damals, ›sondern für meine Hausgenossen‹. Dabei zwinkerte er vertraulich mit den Augen. Ich las darin einen Rest Mißtrauen und die Bitte, ihn nicht zu verraten. Nun, als ich gestern in der Stadt war, erfuhr ich von der Apothekerin, was sich zugetragen hatte.

In der Stadt wohnten damals einige Juden, weißt du. Eines Nachts in den ersten Kriegsjahren wurden sie alle in einen Lastwagen gepfercht. Wie Vieh. Ein Bündel hatte jeder bei sich. Viel weniger noch, als wir heute haben. Alle wußten es, daß sie nach Bromberg in eines dieser schrecklichen Lager geschafft werden sollten. In ein Lager, das einen breiten Eingang hat. Der Ausgang ist schmal. Nur Tote finden den Weg hinaus. Alle wußten davon. Und wir alle schwiegen. Wir waren froh, daß es uns nicht getroffen hatte. Unser Schweigen ist unsere Schuld, Junge.« Er verstummte und dachte daran, daß jede Schuld Sühne verlangt.

»Und Dr. Lukowski?« drängte der Junge.

»Warte es ab. Es sollten siebenundzwanzig Juden damals sein. Doch es blieben nur vierundzwanzig. Auch als ein SS-Mann alle vom Wagen trieb, wiederum zählte und sie einzeln aufsteigen mußten, blieben es vierundzwanzig. Über eine Stunde stand der Wagen in der Nacht. Hier und da flammte Licht auf. Sie durchsuchten noch einmal gründlich die Häuser der Juden. Vergebens. Drei Juden fehlten.

Israel Rosenhügel, sein Sohn David und seine fünfjährige Tochter Ruth, wie sich herausstellte. Ehe es hell wurde, sollte der Lastwagen verschwunden sein. So fuhr die SS schließlich davon. In den ersten Wochen lief Olbrischt oft zur Parteiversammlung in die Stadt. Irgendwo mußten die drei ja stecken. Olbricht hat mir erzählt, daß einer gefragt habe: ›Was hat Israel denn verbrochen, daß wir so hinter ihm her sind?‹ Der Kreisleiter sei aufgeregt aufgesprungen und habe geschrien: ›Verbrochen, Parteigenosse? Rosenhügel ist ein verdammter Jude. Das genügt doch wohl, wie?‹ Da habe sich der Frager geduckt. ›Es ist eine Schande für die ganze Partei im Kreis, daß das geschehen konnte. Irgendwo muß der dreckige Jud' doch stecken‹, habe der Kreisleiter gesagt. Sogar der Wald wurde damals durchstreift. Schließlich ist die Angelegenheit vergessen worden, und Dr. Lukowski konnte aufatmen.«

»Dr. Lukowski?«

»Ja. Er hielt die drei nämlich in seinem Haus verborgen. Auf dem Boden hatte er ihnen zwei Kammern eingerichtet.«

»Aber das war doch gefährlich. Zu einem Arzt kommen doch viele Leute.«

»Zu gefährlich, Junge, das haben wohl fast alle in den letzten Jahren in Deutschland gedacht. Trotzdem hat Dr. Lukowski es getan. Die Hausklingel und das Telefon hatten eine zweite Klingel oben. So wußten die Gäste, wann sie ganz ruhig in ihrer Kammer ausharren mußten. Und es ging gut bis zur vorigen Woche. Der Strom war wieder einmal ausgefallen, und die Klingel versagte. Da begegnete eine Patientin auf der Treppe dem alten Israel und erkannte ihn. Israel legte erschrocken und bittend einen Finger über den Mund. Der Frau lag nichts daran, den Juden zu verraten. Aber sie konnte die Neuigkeit nicht bei sich behalten und erzählte sie der Nachbarin mit der Mahnung, nichts weiterzusagen. Und die ihrem Mann, und der dem Kreisleiter. Der wiederum war froh, eine alte Scharte auswetzen zu können, und meldete die Nachricht weiter. Die Geheime Staatspolizei durchsuchte in der gleichen Nacht noch das Haus des Arztes und fand ihn beim Packen seines Koffers. Die beiden Bodenkammern jedoch standen leer. Wieder waren die Vögel ausgeflogen. Dr. Lukowski schwieg beharrlich zu all ihren Fragen. Da zerrten sie ihn vor das Haus und erschossen ihn als Hochverräter.

Der Pfarrer hat ihn am selben Tag noch beerdigt. In seiner Predigt hat er von dem guten Hirten gesprochen, der sich den reißenden Wölfen entgegengeworfen hat. ›Die Herde hat er gerettet mit seinem Blute und ist so ein Bild unseres Herrn geworden.‹ Am Nachmittag ist dann der Kreisleiter zum Pfarrer gegangen, und seine Drohungen schallten hinaus aus dem Pfarrhaus bis auf die Straße. Wütend ist er herausgekommen mit blassem Gesicht und rotem Hals. Doch da hat vor dem Haus des Pfarrers eine Menge Menschen gestanden. Wortlos haben sie ihn angeschaut. Seine Wut ist verflogen. Er hat den Kopf gesenkt und ist durch die Menschenmauer hindurchgeschritten, die sich wie eine enge Schlucht vor ihm auftat.«

»Ob der Doktor ein Heiliger gewesen ist?« grübelte Konrad. Doch den Vater danach zu fragen, getraute er sich nicht. Den Großvater, ja, den hätte er gefragt.

Sie erreichten den Waldrand. Die Häuserschatten des Dorfes wurden in der Schneenacht sichtbar. Nur dort, wo Nowaks Haus gestanden hatte, ragte wie ein drohender Finger der Schornstein allein in die Luft. Gespenstisch lag die Dorfstraße, verlassen und dunkel.

Während Konrad den kleinen Handkarren aus der Remise zog, trug der Vater die Vorräte aus der Kammer. Schnell war der Wagen gefüllt. Der Schinkenknochen ragte neben dem Säckchen mit Zucker heraus. In den Mehlbeutel steckte Vater die letzte Flasche Korn. Er nahm die Deichsel. Konrad schob.

Noch waren sie nicht aus dem Dorf, da jaulte es plötzlich auf. Helle zerriß die Nacht. Dreimal, zehnmal, vierzigmal. Ein hohler, heulender Ton, dem weit entfernt die Explosionen dumpf folgten.

»Was ist das, Vater?« fragte der Junge ängstlich.

»Das sind Stalinorgeln, Kind. Aber die Einschläge sind weit weg.«

Er verschwieg, daß sie im großen Wald lagen, den sie noch zu durchqueren hatten, weil er hoffte, daß die Russen das Feuer einstellen würden, bis sie dort waren. Aber die Hoffnung trog.

»Sie schießen in den Wald«, merkte nun auch Konrad.

»Ja. Wir wollen trotzdem hindurch. Der Wald ist groß, Junge.«

Je weiter sie kamen, um so öfter mußten sie sich hinter Bäume werfen. Hin und wieder spürten sie die Stämme beben, wenn es nahebei einschlug. Schlimmer als die Explosionen kam Konrad das furchtbare Heulen der Raketen vor. Weinen rüttelte seinen Körper. Da rief ihn Vater zu sich an die Deichsel.

Erst als sie die große Lichtung verlassen hatten, hörte der Beschuß auf.

Konrad schämte sich wegen der Tränen.

Vater schien es zu merken und tröstete ihn: »Angst haben und weinen, mein Sohn, das ist keine Schande. Wenn du aber trotz Angst und Tränen das vollbringst, was du tun mußt, dann bist du ein Mann.«

Er blieb stehen, hob Konrads Kinn und schaute ihn an:

»Junge, ich bin froh, daß ich dich bei mir habe. Allein hätte ich es niemals geschafft.«

Gegen ein Uhr kamen sie im Haus der Tante an. Mutter öffnete ihnen die Tür: »Wie gut, daß ihr wieder da seid«, sagte sie. Ihre Augen hatten rote Lidränder.

Hubertus half Vater, die Vorräte auf den Pferdewagen zu laden.

»Wie geht es zu Hause in Berlin?«

»Ich habe seit drei Wochen keine Post, Onkel.«

»Wenn unsere Flucht lange währt, soll euer Haus unser Ziel sein, Hubertus. Das haben wir Bienmanns uns alle vorgenommen. Ich habe mit Kristian noch im Herbst darüber gesprochen. Hoffentlich hat er es noch rechtzeitig geschafft, aus der Tuchler Heide wegzukommen.«

»In ein paar Tagen können wir auf die Höfe zurück, Onkel. Unsere Truppen werden die Russen zurückwerfen«, sagte Hubertus, aber es klang nicht sehr zuversichtlich.

14

Der Morgen lag noch grau und verschlafen, da traten die Kinder aus dem Haus. Lotter schlug ungeduldig mit dem Vorderhuf. Hell klang das Eisen auf der harten Erde.

»Wartet nicht mehr länger«, mahnte die Mutter die Tante, die mit Hubertus neben dem Fuhrwerk herlief und winkte.

»Nein, Agnes, wir brechen am Vormittag noch auf. Vielleicht sind wir auch am Abend bei Katharina in Guttstadt.«

»Uns holt ihr nicht ein«, prahlte Konrad und schwippte mit der Peitsche.

»Ich schirre gleich an«, rief Hubertus. »Wir werden euch bestimmt fangen.«

Konrad lachte nur. Er konnte den großen Vetter aus Berlin gut leiden. Das trübe Licht vermochte noch nicht durch die Wagenplane zu dringen. Finster war es. Kisten und Kasten fühlten sich an wie Eis.

»Schlaft noch ein wenig, Kinder.«

»Es rumpelt zu sehr«, wiedersprach Albert.

»Sieh mal, Vater!« Konrad zeigte mit der Peitschenspitze zur Landstraße hin.

Der Vater richtete sich ein wenig auf.

»Was gibt es?« fragte die Mutter.

»Wir fliehen nicht allein, Mutter«, gab Hedwig Auskunft.

»Dort auf der Landstraße sind viele Wagen, ganz viele.«

»Neunundneunzig Wagen?« wollte Franz wissen.

Albert lachte: »Bestimmt nicht. Wieviel siehst du, Konrad?«

»Zwanzig oder mehr.«

»Ich will auch Wagen sehen!« rief Franz und drängte sich zu Hedwig.

Sie waren am Ende der Dorfstraße angelangt. Vater zog die Zügel an. Der Wagen stand. Die Mutter schaute hinaus. Wagen an Wagen rollte vorbei, zweispännig, einspännig. Die meisten schwerer bepackt als der ihre.

»Schau«, rief Konrad, »sie haben ein Schwein mit.«

Wirklich grunzte in einem Lattenverschlag ein Läuferschwein und scheuerte sich den Rücken. Ein kleines Mädchen saß allein auf dem nächsten Wagen. Das magere braune Pferd wurde von einem bärtigen Greis geführt.

»Sieh, dort, sie hat einen Vogelbauer auf dem Schoß!«

»Man soll es nicht glauben, Agnes, wieviel unnützer Plunder aufgeladen worden ist«, brummte der Vater.

»Sie hängen daran, Johannes.«

»Vollgeladen, bis die Achsen sich biegen. Das geht nicht gut«, murrte der Vater.

»Ein Küchenschrank sogar«, staunte Albert.

Ein Lücke tat sich in der Wagenreihe auf.

»Hoh, zieh an!« rief der Vater.

Lotter legte sich ins Geschirr. Der Wagen ruckte.

»Achtzehn Wagen sind vor uns«, rief Konrad.

Die Wagengruppe hinter ihnen kam langsam auf.

»Warum fährst du nicht schneller, Vater?« schrie Albert nach vorn.

»Das geht nicht, Junge, wir sind dicht auf.«

»Vorbei, Vater, an der Seite vorbei. Lotter rennt ihnen allen davon.«

»Lotter ist stark«, krähte Franz.

»Du könntest es wirklich versuchen, Vater«, meinte Konrad.

Statt einer Antwort wies Vater mit der Hand nach vorn und fragte: »Und was dann?«

Eine Lastwagenkolonne kam ihnen schnell entgegen. Breite Wagen. Sie mußten scharf an der rechten Seite fahren. Die ersten brummten vorbei. Albert blickte ihnen durch den Spalt der Plane nach. Das Zweiergespann mit dem langen Leiterwagen hatte sie eingeholt.

»Guten Morgen«, rief Albert.

Die junge Frau, die die Zügel hielt, schaute mürrisch auf. Weiter hinten folgte ein Kastenwagen. Ein weißhaariger, alter Bauer lenkte das Pferd. Neben ihm hockte seine Frau, klein zusammengekauert. Der Wagen war nur halb bepackt. In aller Eile schienen sie aufgebrochen zu sein.

»Vater«, begann Hedwig gegen Mittag, »wir fahren nun schon einen halben Tag, aber das Schießen hört nicht auf. Es ist sogar lauter geworden, Vater« fuhr sie fort, als sie keine Antwort erhielt.

»Hörst du nicht, Johannes?« forschte die Mutter.

»Doch, Agnes. Sie kommen uns nicht nach. Sie wollen uns von der Seite umfassen. Vielleicht fahren wir nur die Front entlang und entfernen uns kaum von ihr.«

»Warum biegen wir nicht ab, Vater, auf Danzig zu?« schaltete sich Konrad ein.

»Sobald wir es können, Junge, biegen wir nach Westen ab. Aber die Russen versperren uns den Weg«, brummte er.

Sie fuhren nun in einer Schlange, deren Kopf nicht mehr zu sehen war und deren Schwanz sich irgendwo in der Ferne verlor. Wagen an Wagen. Unübersehbar.

Gegen drei Uhr stockte der Zug. An der rechten Straßenseite erstreckte sich weit das weiße Feld. Links ragte hoher Fichtenwald auf. Dahinter grollten die Geschütze. Von vorn sprang die Nachricht herüber, daß ein Wagen gebrochen wäre und den Weg versperrte.

»Hoffentlich dauert es nicht lange, bis er wieder instandgesetzt ist«, wünschte Konrad.

»Es wird nicht lange dauern«, sagte der Vater bitter.

Heiseres Hundegekläff klang auf.

»Kommt«, rief Konrad in den Wagen, »sie jagen.«

Da hetzten sie heran, drei, vier große Hunde. Vorneweg ein struppiger, schwarzer Köter.

»Was jagen sie?« wollte Albert wissen und kletterte zu Konrad auf den Bock.

»Ein Karnickel«, erkannte Hedwig.

Das kleine Tier huschte über die Schneedecke, die Ohren straff zurückgelegt. Jedesmal, wenn die Hunde ihm dicht hinter dem Stummelschwanz waren, schlug es einen Haken und gewann ein paar Meter.

»Das ist lustig.« Albert klatschte in die Hände.

»Wenn sie es erreichen, zerreißen sie es«, flüsterte Hedwig.

Das Gekläff wurde leiser. Die Tiere waren weit im Feld zu schwarzen Punkten zusammengeschmolzen, da schlug das Karnickel noch einmal einen scharfen Haken. Die wilde Jagd näherte sich wieder den Wagen. Im Halbkreis hechelten die Hunde und hetzten das Tier.

»Wie wir«, flüsterte Hedwig. Ein dunkler Gedanke kam ihr in den Sinn. »Wenn sie es nicht fangen, dann kommen wir durch.« Bang hingen ihre Augen an dem kleinen Langohr, das geradewegs auf ihren Wagen zulief. Noch dreißig Meter ungefähr. Die Hunde, die außen jagten, hatten die Straße schon fast erreicht. Ein Haken wurde sinnlos.

Ein schwerer, zottiger Hund streckte seinen Körper

lang. Noch wenige Sprünge, dann würde er es fassen. Hedwigs Hände schlossen sich fest zu Fäusten. Sie hielt den Atem an. Das Karnickel war für einen Augenblick ganz nah. Sie erkannte die großen Augen. Die Hunde belferten heiser. Irgendwo stampfte ein Pferd und stieg, daß die Ketten gegen die Deichsel schlugen. Wütend pfiff der Bauer dem Hund, schrill und laut. Vater knallte mit der Peitsche und zog dem Zottigen einen Schlag über das Fell. Er heulte auf und bog ab. Das ganze Rudel stockte. Das Karnickel schoß unter dem Wagen hindurch und gewann das Gebüsch. Die Hunde gaben es auf und trollten sich. Die Zungen hingen lang aus den Mäulern, und ihre Flanken zitterten. Hedwig atmete tief.

»Bald hätten sie es erwischt.« Alberts Augen leuchteten.

»Bald«, flüsterte Hedwig, »bald.«

Dort, wo die Bäume ihre Kronen zusammensteckten, kam der Zug in Bewegung. Wagen um Wagen ruckte an. Endlich legte sich auch Lotter in die Stränge.

»Schnell haben sie den Wagen wieder flottgemacht«, sagte Konrad.

»Flottgemacht«, zischte der Vater, »ein Dummkopf bist du. Wart nur.«

Konrad wunderte sich, weil Vater so grob geworden war. Dort, wo der Wald zurückblieb, hob Vater den Peitschenstiel und deutete auf den Wegrand. Da lag der Wagen, umgestürzt, drei Räder streckte er in den Himmel; keines drehte sich mehr. Bettzeug und Bündel lagen verstreut und schwarze Kasten im weißen Schnee. Dazwischen hockte eine Frau wie ein dunkles Bündel, den Kopf auf den Knien, regungslos.

»Umgestürzt, Vater. Der Wagen ist umgestürzt.«

»Sie haben ihn umgestürzt, Junge. Er stand im Weg. Er mußte weg. Er hielt alles auf. Sie haben ihn umgestürzt.«

Vater zog heftig an der Pfeife.

»Sie sind wie Wölfe«, murmelte er, »wie Wölfe.«

»He«, rief der Alte mit dem weißen Haar, das lang unter einer Schaffellkappe hervorquoll. »He, Frau, kommt mit zu uns auf den Wagen. Wir haben Platz.«

Regungslos hockte die Gestalt im Schnee.

Der alte Bauer gab seiner Frau die Zügel in die Hand und sprang ab. Die Frau ließ sich führen und auf den Wagen helfen. Wortlos saß sie da, versunken in ihren Schmerz. Der Bauer stieg nicht wieder auf seinen Bock, sondern wollte sich die Beine ein wenig vertreten.

Vater drehte sich um und fragte die Mutter: »Agnes, haben wir noch etwas Warmes in der Flasche?«

»Ja, Johannes.«

»Ich möchte der Frau einen Schluck anbieten.«

»Ja, Johannes.« Sie fuhr mit den Händen in das Bettzeug und grub eine Feldflasche hervor. »Es ist nicht viel.«

»Heute abend sind wir bei Katharina. Dort füllen wir sie wieder.«

Er wandte sich an Konrad: »Hier, Junge, spring vom Wagen und bring sie den Leuten.«

Die Wärme der Flasche drang durch die Handschuhe.

»Das schickt der Vater«, richtete Konrad aus.

»Danke, Jungchen. Ich bring' die Flasche gleich zurück. Das wird guttun. Wir haben seit gestern morgen nichts Warmes mehr im Magen.«

Konrad warf einen Blick auf die Frau. Sie saß mit weiten Augen, starr und bleich.

Am Abend scherte Vater aus der Wagenkolonne aus.

»Fährst du nicht näher zur Front hin?« fragte Konrad.

»Nur ein Stückchen, Junge. Gleich dort drüben wohnt Tante Katharina. Das Haus muß hinter dem Wäldchen liegen.«

Sie erreichten den Wald und bogen in die Zufahrt des Hofes ein.

Da sprang der Vater auf und zog die Zügel hastig und stramm an.

»Abgebrannt!« Heiser klang seine Stimme.

Düster standen die schwarzen Mauern.

15

Vater lenkte das Fuhrwerk schließlich in den Hof. Konrad stocherte mit dem Stock in der Asche. Sie flog auf und wirbelte in dünnen Flocken hoch in die Luft.

»Noch warm«, stellte Albert fest.

Die Feuersbrunst hatte alle Gebäude zerstört. Wie Zähne eines alten Kammes ragten die Stümpfe der Sparren in den Himmel. Die Mauern standen kalt und kahl. Nur das Kellergeschoß schien unversehrt.

»Wir bleiben«, beschloß Vater. »Wohin sollten wir auch fahren?«

Der Eingang zum Keller lag freigeschaufelt und war mit einer Luke abgedeckt. Vater stieg hinab. Durch die geborstenen Kellerfenster fielen matte Lichtflecke in die Finsternis. Die Decke war niedrig. Vater ging gebeugt.

»Johannes?« Das schwarze Loch warf die Stimme der Mutter zurück.

»Ja, ich komme.« Vaters Ruf klang hohl und fern. Seine Schritte hallten und polterten endlich dumpf auf dem Holz der Treppe.

»Wir brauchen ein Licht.«

»Nimm die Sturmlaterne, Vater«, rief Konrad.

Mutter schraubte den Docht ein wenig höher. Die Flamme des Streichholzes zischte auf. Vater barg sie in der Hand, bevor er sie an den Docht hielt.

»Halte mir das Licht, Junge«, befahl er. Die Lampe schwankte tiefer in den Keller.

»Sie sind heute erst aufgebrochen«, vermutete Vater und betastete die plattgelegenen Strohschütten in der Ecke.

Unter dem Kellerfenster stand ein kleiner, zerbeulter Eisenherd. Das Ofenrohr führte zum Fenster hinaus. An der Mauer lehnte ein Fahrrad.

»Lauf und hole die anderen.«

Konrad lief die Treppe hinauf: »Eintreten, bitte. Ich darf den Herrschaften leuchten.«

»Na, dir scheint es ja gut zu gefallen?« Die Mutter stieg vorsichtig hinab. Auf ihrem Arm schlief Franz fest und ruhig.

»Sind da keine Mäuse?« lachte Hedwig und schaute auf Albert.

»Laß den Unsinn«, schimpfte der. »Und außerdem habe ich keine Angst vor Mäusen.« Er hielt seinen Nikolai vor die Brust gepreßt.

Sie begannen, sich für die Nacht einzurichten. Vater entfachte Feuer im Herd. Bald erglühte die Platte dunkelrot. Mutter bettete Franz auf die Strohschütte. Konrad spannte Lotter aus und suchte einen geschützten Platz für ihn in der leergebrannten Stube. Im Keller taute er Schnee. Das Pferd soff in langen Zügen. Erst als der Eimer völlig leer war, schnaubte es und steckte seine Nüstern in den Hafer. Die gelben Zähne mahlten die Körner. Konrad striegelte und bürstete Lotters glattes, braunes Fell, bis es matt erglänzte. Plötzlich fuhr er zusammen. Vom Rand des Wäldchens her erscholl ein röhrendes, heiseres Brüllen.

Eine Kuh! Sie ist sicher lange nicht gemolken. Die Milch sticht sie, dachte er. Mit dem Milcheimer in der Hand rannte er dem Wald zu. Schon hatte er die ersten Stämme erreicht, da brüllte die Kuh wieder, lang und in großer Qual. Sie hielt den Kopf weit vorgestreckt. Konrad trat zu ihr. Ihre runden, schwarzen Augen starrten ihn an. Er tätschelte ihr den Hals und kraulte sie hinter den Ohren. Dann beugte er sich nieder. Das Euter war prall wie ein aufgeblasener Kinderballon. Er berührte es vorsichtig. Die Kuh zuckte zusammen und zitterte. Doch blieb sie geduldig stehen. Er drückte sanft die harten Zitzen. Ein Milchstrahl schoß in seine Hände, netzte ihre Flächen und machte sie weich und geschmeidig. Schäumend stieg die Milch im Eimer bis an den Rand. Dann stellte er ihn auf die Seite. Konrad molk das Euter ganz leer. Warme Strahlen spritzten in den Schnee und schmolzen schwarze Löcher in die verharschte Decke. Dann faßte er die Kuh bei ihrem kurzen Halsstrick. Willig ließ sie sich zum Gehöft führen und an einen Baum binden.

»Wo bleibst du, Konrad?« schallte es von der Kellertreppe her.

»Warte nur, ich komme schon. Rate, was ich euch mitbringe!«

Es war schon dunkel geworden, und Hedwig erkannte nicht, was ihr Bruder trug.

»Milch«, flüsterte er.

»Was bringt der Konrad?« rief Albert.

»Milch hat er, einen ganzen Eimer Milch.«

Mutter wärmte die Milch auf dem Herd, rührte Haferflocken darunter und ein wenig Honig. Mit dem Messer ritzte sie in ein braunes Brot das kleine Kreuz und schnitt für jeden eine dicke Scheibe ab.

Sie waren so satt und müde geworden, daß die Kinder sich nicht einmal stritten, wer den Topf auslecken durfte.

»Wo hast du die Kuh?«

»Ich habe sie an den Baum gebunden.«

»Führe sie in eine Ecke und füttere sie mit Hafer. Morgen wollen wir sie wieder melken.«

Konrad tat, was der Vater befahl. Als er wieder in den Keller zurückkehren wollte, kamen ihm die Eltern entgegen. Mutter trug die Lampe. In ihrem Schein erkannte Konrad das Fahrrad auf Vaters Schulter.

»Wohin willst du, Vater?« fragte er. Doch er bekam keine Antwort. Besorgt schaute er der Mutter ins Gesicht. Die blickte mit zusammengepreßten Lippen ihren Mann an. Die Mundwinkel zitterten ein wenig.

»Ich muß fahren, Agnes, ich muß. Das Vieh muß versorgt werden, und vielleicht sind die Russen doch zurückgeschlagen worden.«

Die Mutter antwortete nicht.

»Und wo mögen Elisabeth und Hubertus bleiben?«

Er faßte Mutters Schulter. »Noch einmal will ich das Haus sehen, Agnes, das ich mit meinen Händen erbaute, noch ein einziges Mal. Wer weiß, wie es aussieht. Vielleicht können wir wieder zurück.«

Da begriff Konrad. »Vater«, bat er mit leiser Stimme, »bleib bei uns. Ich habe Angst.«

»Geh du zu Hedwig, Junge.«

Konrad tastete sich durch die Finsternis. Hedwig hatte sich die Decke über den Kopf gezogen. Albert saß am Herd.

Er läßt uns allein, dachte Konrad. Unsicherheit und ein Gefühl des Schmerzes überfielen ihn. Es war wie damals, als sich beim Hüten ein spitzer Dorn tief in seine nackte Sohle gebohrt hatte. Erst hatte er nur den kleinen zukkenden Stich gespürt; doch der wuchs bis zum Abend zu wühlendem Schmerz. Großvater hatte ihn schließlich mit sicherer Hand herausgezogen.

Vom Kellereingang her wurde es hell.

Mutter kam allein.

»Wann wird er zurück sein?« fragte Konrad.

»Gegen sechs Uhr in der Frühe, denke ich.« Sie rieb die rotgefrorenen Hände. »Es ist sehr weit bis Leschinen. Wir wollen schlafen«, sagte sie. »Es wird morgen ein harter Tag.«

Sie half Albert, der seinen Pullover nicht über den Kopf bekam, und breitete Decken über ihre Kinder.

»Vergeßt nicht zu beten, hört ihr?«

Sie hätte nicht zu mahnen brauchen. Die Geschütze und ihre dröhnenden Geschosse riefen lauter zum Gebet als jedes Glockengeläute. Sie blies die Kerzen aus und drehte den Docht der Lampe so niedrig, daß die Flamme zu einem winzigen Stern zusammenkroch. Aus der Dunkelheit wuchs der Widerschein der Flammen aus jeder Ritze des Herdes. Die Eisenplatte glühte hell wie eine rote Herbstsonne.

Die Mutter legte einen dicken Holzkloben nach. Dann hörte Konrad das Knistern des Strohs und das Rascheln der Kleider und Decken. Endlich legte sie sich nieder. Albert neben ihm schlief fest und wärmte ihm den Rükken. Konrad starrte mit offenen Augen in das Spiel des Feuers, sah, wie es zuckte und blitzschnell Drachen und Kobolde an Wände und Decken malte, sie einen Augenblick tanzen ließ und wegwischte, wie der Wind die Wellenbilder im Fluß verwehte. Konrad fror obwohl er dick zugedeckt war und der Herd die Kälte der Nacht aussperrte.

Die Mutter lag unruhig. Einmal war es dem Jungen, als hörte er sie leise seufzen.

»Mutter?« Das Rascheln des Strohs hörte plötzlich auf.

»Mutter, ist etwas?«

»Nein, Junge. Schlaf nur.«

Er blieb ganz still. »Mutter, mich friert. Ich fürchte mich.«

»Komm zu mir, Junge.«

Konrad huschte hinüber. Sie zog ihm die dicke, rauhe Pferdedecke über den Leib. Er streckte seine Hand aus und legte sie auf ihren Arm. So lagen sie eine ganze Zeit. Die Flammen spielten ruhiger. Die Mutter atmete flach und kurz.

Ihr war oft nicht gut in der letzten Zeit. Es mußte mit dem neuen Kind zusammenhängen, das sie erwartete.

Konrad war jetzt warm und schläfrig. Das Feuer glühte rot und ruhig. Er blickte auf den Widerschein des Feuers auf der Wand und glitt unmerklich in den Schlaf.

Erst das Geklapper der Ofenplatte weckte ihn. Die Morgenkälte war in den Keller gekrochen. Mutter schürte die Glut und blies kleine Flammen aus der Asche.

»Wo ist Vater?« war Konrads erste Frage.

Sie wandte sich zu ihm und legte den Finger auf den Mund. Ihr Gesicht war übernächtigt, blaß. Graue Halbmonde lagen unter ihren Augen. Da wußte er es: Vater war nicht wiedergekommen.

»Und Hubertus?« fragte er leiser.

»Sie werden schon noch kommen, Junge«, tröstete sie ihn, als sie seine Furcht spürte. »Zieh dich schnell an, melk die Kuh und füttere Lotter.«

Sie hantierte am Ofen.

»Wir Bienmannsfrauen haben unsere Last mit den Männern«, sagte sie mehr zu sich selbst. »Johannes' Großvater, der Karl Bienmann, der hat Haus und Hof versoffen und verspielt und sich in die USA davongemacht. Seine junge Frau hat er mit ihrem kleinen Sohn sitzenlassen. Verschollen ist der Karl. Der Lukas Bienmann, sein Sohn, hat ihn in Amerika gesucht. Die Frau hat sehen müssen, wie sie allein durchkam.«

»So etwas macht Vater nicht«, sagte Konrad bestimmt.

»Aber leichtsinnig genug ist er, um noch einmal nach Leschinen zu fahren.«

16

Konrads Zähne schlugen hart gegeneinander, als er den Keller verließ. Scharf blies der Wind. Er drang durch seine dicke Jacke und jagte die Bettwärme hinaus. Aber es war kein Eiswind. Der Junge griff in den pappigen Schnee und rieb sich Gesicht und Hände. Das machte ihn heiß. Lotter beugte den Hals, als er ihn hörte. Konrad ließ Hafer in den Eimer rasseln. Ein wenig mehr als sonst.

»Hast schwere Tage, Lotter. Da, ein gutes Maß für dich.«

Der Kuh reichte er auch ein paar Körner, die sie mit der feuchten, rauhen Zunge aus seiner flachen Hand leckte. Er molk sie. Der Eimer wurde nicht halb voll.

»Ich muß dich losbinden, Braune. Lauf nur zu.«

Er gab ihr einen Klaps. Zögernd erst, doch dann schneller und schneller lief sie vom Gehöft weg über das weite Feld in die Richtung des Geschoßdonners. Der Junge blickte ihr nach, bis ihr hochgereckter Schwanz hinter dem Hügel verschwand. Drei schwarze Krähen ruderten dem Wald zu, und ihre heiseren Schreie knarrten herüber.

Im Keller war es unterdessen lebendig geworden. Franz verlangte nach dem Frühstück, und Albert fütterte seinen Nikolai mit Haferkörnern. Mutter ließ den Kamm durch Hedwigs Haar gleiten. Es glänzte und knisterte leise. Sie aßen schweigend ihr Brot und schlürften heiße Milch in winzigen Schlucken. Mutter brach sich nur ein kleines Stück Brot ab. Ihren Kopf hielt sie halb zur Treppe hingewandt. Sie horchte auf Vaters Schritte.

Noch hatten sie das Geschirr nicht in die Kiste geräumt, da polterten schwere Stiefel die Stiegen herab. Ein Unteroffizier trat ein. Die Wärme beschlug ihm die Gläser der Nickelbrille und machte ihn blind.

»Was ist denn hier los?« rief er ärgerlich.

»Wir sind auf der Flucht«, versuchte Mutter zu erklären.

»Wären Sie das nur. Die Russen sind nicht weit. Es kam eine Meldung, sie seien mit ihren Panzern ins Nachbardorf eingedrungen. Schirren Sie an und fahren Sie, schnell.«

»Aber mein Mann . . .«

Er nahm die Brille ab und rieb die Gläser mit den Handschuhfingern. Seine Augen zwinkerten stark.

»Mann oder nicht. In einer Viertelstunde will ich hier niemand mehr sehen.« Er sprach barsch und bestimmt, setzte seine Brille wieder auf und erkannte die Frau und die Kinder und spürte ihre Angst.

»Was ist mit dem Mann?« erkundigte er sich ungeduldig.

»Er muß jede Minute zurückkehren. In der Nacht hat er mit dem Fahrrad noch ein einziges Mal nach Leschinen gewollt.«

»Und ist noch nicht zurück«, brummte der Unteroffizier und wiegte seinen Kopf. Doch dann verfinsterten sich seine Züge und machten das spitznasige Gesicht hart und bitter.

»Meine Frau mußte auch allein fliehen. Macht euch auf, Leute, schnell.«

Er ging. Das Klappern seiner eisenbeschlagenen Stiefel verklang.

»Spann Lotter vor den Wagen, Junge, aber nicht gar so schnell. Hedwig und Albert laden unsere Sachen auf.«

»Darf ich von dem Stroh nehmen für Nikolais Kasten?«

»Aber ja, Albert.«

Sie schleppten Geschirr, Eimer, Lampe und Decken in den Wagen. Noch ehe Albert seinen Nikolai in das frisch ausgelegte Haus gesetzt hatte, kehrte der Unteroffizier mit einem Dutzend Soldaten zurück. Einer schob ein Motorrad. Sein Gesicht war gerötet vom Winterwind. Die Brust und die Windseite seines Mantels waren weiß und starr von einer dicken, feuchten Schneekruste.

»Gute Nachricht, Frau«, rief der Unteroffizier. »Er hat vor zehn Minuten deinen Mann auf der Straße überholt. Gleich wirst du ihn wiederhaben.«

Mutter schluckte. Sie goß eine Tasse voll heiße Milch und reichte sie dem Motorradfahrer. Der trank sie in einem Zug leer.

»Das taut auf«, lachte er.

»Da biegt Vater in den Weg ein, Mutter«, rief Hedwig und lief dem Radfahrer ein Stück entgegen.

Vater fuhr langsam durch Wind und Schnee. Konrad nahm ihm das Rad ab. Ein praller Rucksack war auf den Gepäckträger geschnallt. Konrad löste die Riemen und preßte ihn unter den Wagensitz.

»Nun aber fort«, drängte der Unteroffizier und deutete mit dem Daumen in die Richtung zweier Einschläge, die keine fünfhundert Meter weit liegen mochten.

»Fertig?« brachte Vater unter Keuchen und Husten hervor.

»Ja, Vater, fertig.«

»Geh du auf den Bock, Junge« bat er Konrad und kletterte selbst unter die Plane.

Konrad fuhr an. In den Wagenspuren auf dem Weg stand das Schmelzwasser.

»Fahrt schnell, Leute, daß ihr noch herauskommt aus

dem Hexenkessel«, rief der Unteroffizier ihnen nach.

Der Junge achtete scharf auf den Weg.

Nur halb lauschte er auf die Stimmen im Wagen. Doch Vaters Worte drangen deutlich zu ihm.

»Die Russen stehen noch jenseits des Flusses. Das Dorf lag wie tot. Die Hühner hatten inzwischen vierzehn Eier gelegt. Ich habe sie in das Mehl gesteckt, das im Rucksack ist. Gerade hatte ich den Sack verschnürt und auf das Rad gebunden, da wurde es taghell. Leuchtkugeln gingen am Fluß hoch, rote und weiße. Es war wie beim Feuerwerk auf dem Martinsmarkt vor dem Krieg. Dann begann die Artillerie von drüben aus allen Rohren zu schießen. Über das Dorf hinweg pfiffen die Geschosse. Sie sperrten mir den Rückweg mit einem dichten Vorhang aus Eisen, Feuer und berstendem Holz. Ich konnte nicht daran denken aufzubrechen. So ging es länger als eine Stunde. Dann war es mit einem Mal totenstill. Ich schwang mich aufs Rad. Doch war ich noch nicht am Gutshof vorbei, da ging es wieder los.«

»Ist Janosch noch dort?« fragte Albert.

»Ja. Er läßt euch allen einen Gruß ausrichten, besonders dir, Konrad, hörst du?«

»Ja, ich höre.«

»Er sagte, du solltest das häufig gebrauchen, was er dir schenkte.«

»Was hat er dir gegeben?« rief Albert.

»Schweigt, Kinder, laßt Vater erzählen«, fiel die Mutter ihnen ins Wort.

»Es dauerte wieder eine Stunde. Dann brach ich auf. Im Wald biß mir der Pulverqualm in die Nase. Viermal mußte ich absteigen und mit dem Rad auf der Schulter über Stämme steigen, die von der Gewalt der Geschosse zerfetzt und geknickt worden waren. Der Wind stand mir vor der Brust, und der Schneeregen machte das Fahren schwer. Aber jetzt bin ich bei euch.«

»Nicht mehr fortgehen, Vater«, klang das Stimmchen von Franz.

»Nein, Kinder. Jetzt bleibe ich bei euch«, versprach er.

»Wie war es in Eschenwalde?«

»Tante Elisabeth und Hubertus waren fort. Das Haus stand verschlossen.«

Sie erreichten die Landstraße. Einzelne Wagen fuhren nach Norden, meist zu dritt oder viert hintereinander. Dazwischen lagen große Lücken. Der Haupttreck war fortgezogen. Konrad trieb Lotter zu einem kurzen Trab. Das Pferd ließ sich an diesem kalten Morgen nicht lange dazu auffordern. So hatten sie bald eine Wagengruppe erreicht. Vor ihnen fuhr eine leichte Kutsche. Sie sah sonderbar aus, weil außen allerlei Gerät angebunden war, Kochtöpfe und Eimer, Körbe und sogar Gartenwerkzeug, ein Spaten und eine Harke. Hoch auf dem Bock saß eine Frau, breit und dick. Sie war bis an die Ohren in einen Schafpelz eingehüllt.

»Ob wir wohl durchkommen?« rief sie statt eines Grußes.

»Wir müssen uns sputen«, antwortete Konrad.

Sie nickte.

»Ich bin allein«, fuhr sie nach einer Weile fort. »Das ist das beste auf der Flucht. Allein schafft man es eher.«

Konrad schwieg und dachte bei sich, daß er nicht gern allein sein möchte, gerade jetzt nicht. Große Flocken fielen weich in das Gesicht des Jungen. Er spürte, wie sie hafteten, zu kleinen Tropfen schmolzen und die Wangen hinunterrannen.

»Wir sind zu sechsen«, rief er auf einmal. »Und das ist schön.«

Die beiden nächsten Tagen schleppten sich dahin. Immer noch mußten sie Pausen einlegen. Mutter hatte Schmerzen. Manchmal hielt sie sich mit beiden Händen den Leib, als ob sie das Kind fassen wollte, das sich bei dem Holpern des Wagens stark bewegte. »Den fünften Tag sind wir bereits unterwegs«, sagte Konrad. »Unser Dorf liegt schon weit weg.«

»Wohin fahren wir?« fragte Albert.

Aber darauf gab es keine Antwort. Vater hätte sagen können nach Nordwesten. Aber das stimmte eine Stunde später nicht mehr. Denn da stand ein Soldat mitten auf der Kreuzung und hatte sein Auto quer hinter sich gestellt. Er wies die Wagen auf die Straße nach Nordosten, die Straße zum Haff hinein.

»Warum stehst du da?« fragte ihn die dicke Frau auf dem Kutschbock.

»Die Russen sind durch. Sie können die Straße einsehen und schießen auf alles, was sich bewegt.«

Die Frau fluchte. »Was sollen wir am verdammten Haff? Es ist zugefroren, und meine Kutsche ist kein Segelschiff.«

Sie hielten am Spätnachmittag wenige Kilometer vor dem Haff. Der Vater lenkte Lotter zu einer Scheune, die geduckt in einer Senke stand. Drei Wagen standen bereits davor. Konrad band Lotter neben die anderen Pferde und schnallte ihm den Futtersack um.

Lärm schlug ihnen entgegen, als sie die Scheune betraten. In einer zugigen Ecke fanden sie Platz.

»Braunsberg brennt«, sagte Vater, der noch einmal nach Lotter gesehen hatte.

Sie traten hinaus. Der Himmel glühte dunkelrot, und der feurige Schein drängte sich bis unter die niedrig hängenden Wolken.

Braunsberg! Das war für Konrad ein Traumwort. Einmal

hatte Vater Hedwig und ihn mitgenommen. Sie waren über den Markt gelaufen. Da hielten die Kinder die Hände des Vaters fest und zerrten ihn von Stand zu Stand, lauschten dem Gekeife der Fischweiber und den Anpreisungen der Marktschreier.

Konrad erinnerte sich genau an eine massige Frau hinter Bergen von blutigem Fleisch, die immerzu rief: »Herrliche Waren, blütenfrisch!«

»Eine riesengroße Stadt!« hatte Konrad zu Vater gesagt. Doch der hatte nur gelacht und gemeint, Königsberg sei viel, viel größer.

»Brennt der Dom auch?« fragte Albert.

»Das ist ein Höllenfeuer«, antwortete ein Bauer aus Neidenburg. »Das brennt alles nieder.«

17

Es wurde eine laute Nacht. Ein Säugling schrie lange, wütend erst und, als sich niemand um ihn kümmerte, jammernd und leise. Später begannen die Hunde vor der Scheune zu jaulen und wollten sich nicht zufriedengeben. Endlich trat ein Bauer hinaus und verprügelte sie, bis sie winselten. Und Bienmann hustete. Manchmal wachte Konrad halb auf und sah Vaters Schatten; gebückt saß er, vom Anfall zusammengezogen und geschüttelt. Die weite Fahrt mit dem Rad hatte ihm sehr zugesetzt. Er fieberte.

Gegen fünf Uhr brachen sie leise auf. Das Tauwetter war in der Nacht stärker geworden. Große Lachen blinkten auf den Wegen. Als sie die Küstenstraße erreicht hatten, sahen sie die ersten Wagen. »Da ist ja die Kutsche wieder!« rief Konrad. Schnell trabte das leichte Gefährt vor ihnen her.

»Guten Morgen!« wünschte er laut.

Die dicke Frau drehte sich mürrisch um. »Na, seid ihr auch schon aus den Federn?«

»Schon lange.«

»Vier Kinder und auf der Flucht«, hörte Konrad sie vor sich hin schimpfen.

An der Kreuzung gab es eine Stockung. Dann war auch Bienmanns Wagen in die Kolonne eingekeilt.

»Warum geht es nicht weiter?« schrie die dicke Frau.

Vater lief nach vorn, um zu sehen, was es gab. Bald

schon war er zurück. Er war blasser als sonst. Seine Lippen hielt er zusammengepreßt, und die Muskelstränge an seinen Backen lagen kantig unter der Haut.

»Zu spät«, sagte er leise. Mit einem Mal schien er sehr müde zu sein.

Er stützte sich auf Lotters Rücken.

»Was hast du, Johannes?«

»Die Wagen kommen die Küstenstraße zurück. Sie liegt unter starkem Beschuß.«

»Also eingeschlossen«, flüsterte die Mutter und legte einen Augenblick die Hand vor die Augen.

»Zurück nach Leschinen?« dachte Konrad.

Doch vorläufig versperrten Karren und Kutschen, Wagen und Pferde den Weg in jede Richtung. Eine Frau trat heran.

»Nur keine Angst, Bauer«, sprach sie Vater an. »Gleich wird es weitergehen. Wir fahren über das Haff.«

»Übers Eis?« stieß Vater hervor.

»Warum nicht? Die ersten haben schon gestern den Weg gemacht.«

Vater hob eine Handvoll Schnee vom Straßenrand. Er war pappig und klebte. Das Wasser tropfte heraus.

»Ach, Bauer«, lachte die Frau, »du wirst mit deinem leichten Einspänner schon durchkommen.«

»Das Eis auf dem Haff ist nicht dick«, sagte Vater.

»Stimmt, Bauer, stimmt. Aber willst du hier steckenbleiben und verrecken? Sicher, manche sind eingesunken. Ohne Geschrei, Bauer, ganz schnell. Erst die Hinterräder, weißt du, dann sachte die Räder vorn. Schließlich zog die Last die Pferde nach. Andere waren Zielscheiben für russische Tiefflieger. Umgestürzt, erschossen, ertrunken. Aber viele sind durchgekommen, Bauer. Raus aus dem Kessel.«

Sie trat näher an den Wagen heran und fuhr leiser fort:
»Es sollen in Danzig Schiffe abfahren nach Kiel. Sieh
nur, Bauer, daß du sie noch erreichst.«

Unvermittelt brach sie ab, wendete sich weg und patsch-
te mit ihren dünnen Beinen durch den Schlamm.

Sie schien sich nichts zusammengereimt zu haben. Die
Kolonne kam in Bewegung, fuhr zehn oder zwölf Meter
und stockte wieder, ruckte, mußte noch einmal anhalten.
An der Kreuzung standen Pioniere, die abwechselnd
zwei Wagen von der Küstenstraße einbiegen ließen und
einen vom Land her zum Haff einwiesen.

»He, du!« schrie die dicke Frau auf dem Kutschbock. »Ist
das gerecht? Einen von hier und einen von dort. So muß
es gehen.«

Der Soldat kümmerte sich nicht um sie.

»Ich werde es dir gleich zeigen, du! Wir wollen auch auf
das Haff!«

»Ruhe, Frau. Die Straße liegt unter Beschuß. Sollen die
Leute darauf warten müssen, bis sie abgeschossen werden?« Inzwischen war dem Wagen vor der Kutsche die
Fahrt freigegeben worden. Von der Küstenstraße bog ein
schwerbeladener Zweispänner ein. »Und dann bin ich an
der Reihe«, schrie die Frau und trieb das Gespann an.

»Zurück!« Der Soldat griff in die Zügel. Vom Straßenrand
liefen drei, vier zur Hilfe herbei.

»Macht euch fort!«

Die Frau stand breitbeinig, hielt in der linken Hand die
Zügel und griff nach der Peitsche. Feurige Röte bedeckte ihr Gesicht bis zum Hals hin.

»Keinen Unsinn, Frau!« mahnte ein besonnener, älterer
Gefreiter.

»Unsinn?« Sie schäumte.

Die Soldaten drängten ihre Pferde zurück. Da schwang

sie die Peitsche. Die Lederschnur traf den Gefreiten und schnitt ihm einen roten Striemen über das Gesicht. Dann schlug sie auf die Pferde ein. Die geängstigten Tiere versuchten, sich zu bäumen. Ihre Hufe blitzen auf, die Ohren preßten sie an die Köpfe.

Der Wagen rollte an den Rand der Kreuzung zur Straße hin, die ostwärts führte. Sie schlug wieder und wieder, rasend, außer sich, auf Pferde und Menschen. Da griffen die Soldaten in die Räder. Sie hoben den Wagen an und stürzten das leichte Gefährt in den Graben. Die Pferde schleiften ihn viele Meter. Die Räder drehten sich in der Luft.

»Weiter!« rief der Pionier.

Da schnalzte Vater mit der Zunge. Die Kinder verkrochen sich verängstigt in den Wagen und rückten eng zur Mutter. Plötzlich spürten sie die Kälte. So sahen sie die Toten nicht, die am Straßenrand lagen. Kinder zumeist. Erfroren. In der Nacht erfroren. Klein und spitz waren ihre Gesichter. Der Vater saß steif auf dem Bock und starrte nach vorn.

Sie erreichten die niedrigen Häuser eines Fischerdorfes. Die Küste war nicht mehr weit.

Da sang plötzlich ein heller Ton in der Luft und erstickte die Rufe von Wagen zu Wagen.

»Tiefflieger!« gellte eine Frauenstimme.

»Raus!« schrie Vater in den Wagen hinein. »In das Haus!« Konrad war mit einem Satz vom Wagen und half Franz. Hedwig kletterte heraus. Sie reichte Mutter die Hand. Da brausten sie heran. Schattenvögel mit riesigen Schwingen. Heulen und Dröhnen erfüllte die Luft. Dazwischen das harte, abgehackte Hämmern der Schnellfeuerkanonen. Konrad jagte in den Schutz des Hausflurs, zerrte Franz hinter sich her, warf sich zu Boden und zog den Bruder herab. Hedwig und Albert eilten hinzu. Beschwerlich kletterte Mutter vom hohen Wagen. Vater sprang ihr zu Hilfe. Da spritzte vor ihm der Schlamm auf, kleine Doppelreihen todbringender Einschläge. Nicht größer, als wenn Konrad kleine Steinchen in den Schlamm geworfen hätte.

Einen Augenblick donnerten die Motoren dicht über sie hinweg und übertönten die Abschüsse. Konrad sah die rotblauen Flämmchen an den Mündungen aufzucken, bevor er den Kopf in die Arme barg und sich mit den Handballen die Ohren hielt. Vorsichtig schaute er nach einer Weile auf. In der Ferne klang das Geräusch der Flugzeuge wie das wütende Brummen einer Hummel. Dann verklang ihr Mordgeräusch.

Konrad raffte sich auf. Er zitterte. Mutter eilte von Vater weg. Konrad blickte ihr nach.

Da lag ein Junge ausgestreckt im Schlamm der Straße. Weit hatte er die Arme gebreitet, als ob er die Erde noch einmal fassen wollte. Noch bevor sie ihn erreichte, stürzte eine andere Frau neben ihm in die Knie, ohne auf den Morast der Straße zu achten. Sie hob den Knaben in ihren Schoß und wischte ihm den Schmutz aus dem Gesicht. Schlaff hing der Arm herunter, und die Hand bewegte sich ohne Kraft, leblos. Hellrot lief das Blut den Ärmel entlang, sickerte in den Schmutz der Straße und vermischte sich mit dem schmutzigen, braunen Schneewasser.

Vorn zogen die Wagen an. Eine alte gebeugte Frau trat zu der jüngeren in die Straßenmitte.

»Laßt die Toten ihre Toten begraben, Frau«, sagte sie mit harter, rissiger Stimme.

Wortlos ließ die junge Frau es zu, daß sie ihr das Kind vom Schoß nahm, es wie eine kostbare Last auf ausgestreckten Armen zum Rand der Straße trug und in den schweren Schnee bettete. Sie faltete dem Jungen die Hände, verweilte bei ihm und trat wieder zu der Frau, die immer noch zusammengesunken kniete und auf den schwärzlich roten Fleck auf der Straße starrte. Sie ließ sich von der Alten zu ihrem Wagen führen, schwankend, den Kopf tief gesenkt. Lotter zog an. Mutter saß stumm und strich Hedwig fortwährend durchs Haar.

Schon gelangten sie an die letzten Häuser, da lief ein Mann ihnen entgegen. Als er näher herankam, erkannte Vater den alten Schmidthaus aus Klein-Jerutten.

»He, Schmidthaus, das ist die falsche Richtung«, rief er.

Der Greis trat herzu. »Laßt euch warnen, Bienmann. Sie haben am Ufer eine lange Kette gebildet und halten jeden Mann fest, ganz gleich, ob alt, ob jung.«

»Fieber hat er«, sagte Mutter ängstlich.

»Ich habe ja meinen Schein«, versuchte Vater sie zu beruhigen.

»Den werfen sie dir in den Dreck.« Der Alte lief weiter.

»Agnes, komm auf den Bock.«

Die Mutter kletterte neben Vater.

»Ich will vorlaufen und nachsehen, was am Ufer los ist.« Er drückte Mutter die Zügel in die Hände, griff unter dem Sitz nach dem Eimer und lief davon.

Was mag er mit dem Eimer wollen? dachte Mutter.

Schließlich ging es weiter. Hinter der letzten Düne breitete sich die ebene Fläche des Haffs, grau, endlos. Wie eine Perlenschnur zog sich die Wagenreihe in großem Bogen darüber hin, eine Kette ohne Ende. In der Ferne verschwand der Treck wie ein dünner, weicher Bleistiftstrich.

»Konrad«, rief Mutter. »Komm zu mir und schau nach Vater aus.«

Konrad stellte sich neben sie. Doch nirgendwo konnte er Vater sehen. Wagen, Soldaten, Flüchtlinge, einige Autos.

»Siehst du ihn?«

»Nein, Mutter.«

Noch fünf Wagen vor ihnen, dann waren sie auf dem Eis. Die Soldaten durchsuchten jeden Wagen. Dort holten sie einen Jungen heraus, kaum einen Kopf größer als Konrad.

»Er ist mein Neffe!« schrie die Frau. »Gerade erst fünfzehn ist er. Laßt ihn mitziehen.«

»Er bleibt!« antwortete ein Offizier. »Du willst doch deine Heimat verteidigen, nicht wahr?« fragte er laut den Jungen.

Der nickte stumm und blaß.

»Verteidigen?« schrie die Frau. »Mit Kindern wollt ihr verteidigen!«

»Sei still, Tante«, bat der Junge leise.

»Los, weiter!« drängte der Offizier und gab dem Soldaten einen Wink. Mit einem Lederriemen klatschte er dem Pferd auf den Rücken. Es warf den Kopf hoch und trabte aufs Haff. Die Eisdecke zitterte.

»Siehst du Vater?« Angstvoll klang die Stimme der Mutter.

»Nein, nirgendwo.«

Noch drei Wagen. Auch der Greis auf dem Bock vor ihnen mußte bleiben. Er war älter als siebzig. Still blickte er seiner Frau in die Augen und gab ihr die Zügel.

»Wir sehen uns bald wieder, Katharina«, sagte er und deutete nach oben.

»Komm, Alter, predigen kannst du später«, unterbrach ihn ein junger Soldat rauh.

»Sieh nach Vater«, bat die Mutter.

Der Soldat trat heran. »Na, keinen Mann an Bord?«

»Nein«, sagte die Mutter fest.

»Laßt mich mal unter die Plane sehen.«

Er griff nach dem Verdeck.

»Finger weg!« zischte die Mutter.

Der Soldat kuschte. Sie schlug selbst die Plane zurück.

Franz kniff, vom hellen Licht geblendet, die Augen zusammen.

»Schon gut«, knurrte der Soldat und gab den Weg frei.

Der Wagen rumpelte über die Bretterrampe auf das Eis.

»Wo ist Vater?« hauchte die Mutter.

Konrad kamen die Tränen. »Ich kann ihn nicht sehen, Mutter, nirgendwo kann ich ihn sehen.«

18

Die Kinder rückten dicht zur Mutter. Konrad schaute immer wieder zurück. Er hoffte, Vater noch einmal zu sehen. Tränen verschleierten ihm den Blick. Zudem wuchs die Entfernung allmählich. Der Treck zog geradewegs vom ostpreußischen Ufer weg auf die Nehrung zu. Lotters Hufe schlugen nur zuweilen hart auf. Räder und Eisen knirschten im Kristallstaub der von tausend Wagen zermahlenen Eisfläche.

»Ich will meinen Vater wiederhaben«, rief Franz in kindlichem Trotz. Er wartete vergebens auf Antwort und brach plötzlich in lautes Weinen aus. Mutter drückte seinen Kopf in ihren Schoß. Er vergrub sein Gesicht in ihrem Kleid. Da gab sie Konrad die Zügel und hob den Jungen zu sich und hielt ihn im Arm.

Vor ihnen rollte ein schwerbeladener Leiterwagen. Möbel und Geräte waren mit einer braunen Plane abgedeckt. Vorn saßen drei oder vier Menschen. Doch wurden sie halb verdeckt von der hoch aufgetürmten Ladung. Die beiden schweren Pferde führte eine junge blonde Frau.

Die Festlandküste war nur noch ein grauer Balken am Rand der Eisfläche. Selbst die Häuser schrumpften zusammen. Die Stäbe, die den Weg im Eis bezeichneten, wurden in der Ferne dünn wie schwarzgebrannte Streichhölzer. Konrad blickte unentwegt nach vorn. Seine Augen wurden klar. Er war jetzt ein Mann. Vater sollte mit ihm zufrieden sein. Viele Wagen fuhren ohne Männer. Fast überall zogen Frauen und Kinder. Die wenigen Greise wollte er nicht rechnen.

Aber dort wartete ein Mann. Er trug einen Eimer in der Hand und blickte auf die Wagenreihe, als ob er jemand suchte.

»Sieh mal, Mutter«, sagte Hedwig, sprang dann aber mit einem Satz über den Bock vom Wagen hinunter und eilte längs des Zuges über das Eis.

»Vater! Vater!«

Der Mann lief jetzt. Die Mutter hatte sich erhoben. Röte flog über ihr Gesicht. Jetzt erkannte Konrad die Mütze, die lange Jacke, den Zinkeimer.

»Er ist es wirklich«, jubelte Albert. Franz vergaß seine Fragen und streckte Vater die kurzen Arme entgegen.

Vater wirbelte Hedwig einmal herum, griff nach dem kleinen Kind und hob es hoch, half Hedwig schließlich in den Wagen und zog sich selber hinauf. Mutter legte ihr Gesicht auf die Schulter ihres Mannes. Es war, als ob ihre ganze Kraft zusammensänke. Ihr Rücken bebte. Die Kinder drängten sich um den Vater. Franz wischte mit dem Zipfel von Vaters Schal seine Tränen von den Wangen. Konrad nahm Vaters Hand und legte die Zügel hinein. Vaters Hand war heiß vom Fieber.

»Es war die einzige Möglichkeit, Agnes«, erklärte Vater mit leiser Stimme. »Sie hielten alle Männer fest. Ich lief mit dem Eimer durch die Postenkette auf das Eis und sagte, ich wollte Wasser für das Pferd. Da ließen sie mich durch. Ich schritt ganz langsam und horchte, ob nicht ein Befehl mich zurückrief. Dann ging ich zwischen zwei Fuhrwerken. Die alte Bäuerin merkte gleich, was ich vorhatte, und winkte mir zu. Schnell verbarg ich mich auf ihrem Wagen. Sie deckte mich mit einem Oberbett zu. So gelang es durchzukommen.«

»Es ist gut, daß du wieder bei uns bist, Johannes.« Die Mutter blickte ihn an. Ein Lächeln huschte um ihren Mund.

»Was wären wir ohne dich?«

»Vater«, sagte Albert.

»Ja, Junge?«

Eine Sekunde zögerte der Blondschopf. Dann nahm er seine Faust aus der Tasche, öffnete sie und streckte Vater sein verklebtes, rotes Himbeerbonbon hin. »Das schenke ich dir.«

»Woher hast du denn den Schatz?« lachte Mutter.

»Ich habe das Bonbon von einem Soldaten geschenkt bekommen.«

»Nur eines?«

»Ja, nur dies.«

Der Vater nahm das Bonbon und steckte es in den Mund. »Hmm, das schmeckt mir aber gut.«

Es war ein klarer Wintertag mit eisblauem Himmel. Die Küste lag in einem dünnen Nebelschleier. Die Wagen fuhren langsamer. Vor ihnen hatte eine Spalte das Eis zerrissen. Wasser quoll daraus hervor und überspülte die Fläche. Ein paar Bohlen ersetzten die Brücke. Der Wagen vor ihnen fuhr vorsichtig darüber. Heftiger strömte das Wasser aus der Spalte. Ein helles Surren jagte durch das Eis und fuhr den Fliehenden ins Mark. Es endete in einem Peitschenknall irgendwo im Haff.

»Wir werden doch nicht einbrechen, Vater?« ängstigte Hedwig sich.

»Kind, sieh doch den Wagen vor uns. Wo das Eis diese schwere Last tragen kann, da können wir getrost und sicher fahren.«

Gegen zwölf Uhr stockte der Zug. Die ostpreußische Küste war ganz verschwunden, und die schneeigen Dünen der Nehrung wuchsen aus der grauen Eisfläche.

»Soldaten«, schallte es von vorn.

Sie zogen ihnen entgegen. Vermummt, mit kleinen Fuhrwerken, schwerbeladen mit Nachschub, Munition und Lebensmitteln.

Noch war der Gegenzug nicht ganz außer Sicht, da erscholl hohes Gebrumm. Tausend Augen suchten den Himmel ab. Kinderaugen und Greisenaugen. Tausend Spiegel der Angst. Keine Deckung gab es auf dem Eis, keinen schützenden Hausflur, keinen Keller, nirgendwo einen Baum, einen Graben.

Es waren zweimotorige Maschinen, die wie gierige Raubvögel dicht über die Dünen wegflogen und auf die wehrlosen Opfer zustießen. Die Maschinengewehre bellten, die Motoren schrien auf, donnerten über Bienmanns Wagen hinweg, wurden leiser, kehrten noch einmal zurück, schienen alles verschlingen zu wollen und verklangen allmählich.

Vater hielt Lotter kurz am Halfter. Die Kinder hoben die Gesichter. Die Schlange schien sich zu einem Knäuel verwickelt zu haben. Ärgerliche Rufe schallten herüber. Ein Pferd wieherte laut und wild.

Ein Pistolenschuß knallte.

»Da schert ein Wagen aus!« rief Konrad.

»Er hält aufs offene Eis zu!« sagte Hedwig ängstlich.

»Eine Frau steht vorn. Sie reißt dem Pferd den Kopf hoch!«

»Sie hat zu wenig Kraft. Das Pferd zwingt sie.«

Toll vor Angst rannte das Pferd. Seine Hufe schlugen auf das blanke Eis, und es sprangen helle, gläserne Töne herauf, scharf und durchdringend.

»Die Spalte!« Vater sah den Riß im Eis.

»Vielleicht schafft sie es doch?« hoffte Albert.

Da erhob sich ein klingendes Bersten, als ob ein Glas zerspringt, in das zu heißes Wasser gegossen wird; ein zorniger Donner folgte ganz nah. Breitbeinig stand die Frau. Plötzlich hatte das Haff den Wagen verschluckt, und mit ihm versank alles, was er getragen hatte. Große Luftblasen quirlten auf. Eine dünne Wasserschicht ergoß sich weit über das Eis. Vater zog die Mütze vom Haar und faltete die Hände.

Der Treck fuhr an. Wenige Minuten später gelangten sie zu der Stelle, an der das Pferd ausgebrochen war. Neben der zermahlenen Fahrspur lag der Kadaver eines Schimmels in einer schaumigen Blutlache. Ein Mann schnitt dem Pferd einen Streifen Fleisch aus dem Rücken.

»Was macht er da?« fragte Hedwig. Ekel stieg in ihr hoch.

»Er hat Hunger, Kind, und es war ein junges Pferd«, antwortete der Vater.

Dem Mann rief er zu: »Wie konnte das nur geschehen?«

»Da!« Der Mann wies mit dem blutigen Messer auf eine Spur von Einschüssen, die sich in gleichen Abständen über das Eis zog. Aus den runden Löchern quollen kleine Springbrunnen.

»Ein Schuß hat das Pferd erwischt. Hier in den Rücken. Es lebte noch. Sie mußten es erschießen. Da ist der Gaul vom nachfolgenden Fuhrwerk ganz und gar scheu geworden. Den Rest habt ihr ja gesehen.«

Der Treck hielt sich stets in Sichtweite der Nehrung, einmal fuhren sie dicht unter dem Ufer und hörten die dürren Schilffelder wispern. Die Kinder hockten müde im Wagen. Die Furcht vor Tieffliegern und Eisbrüchen hielt sie wach. Nur Franz schlief fest. Er atmete ruhig und ließ die Hand seines Vaters nicht los. Konrad wechselte mit Hedwig von Zeit zu Zeit den Platz auf dem Bock. Er lauschte ständig und hätte auch das leiseste Fliegergesumm sofort gehört. Aber es blieb still. Albert lag zusammengerollt im Wagen unter dem Kutschbock. Er schwieg und starrte vor sich hin.

»Wieder Leibschmerzen, Albert?« fragte die Mutter.

»Ja, Mutter, arge Leibschmerzen.«

»Immer wenn die Angst zu groß wird, schlägt sie ihm auf den Leib«, sagte Vater.

Mutter nestelte in einem Beutel und schüttete aus einem Röhrchen kleine gelbgrüne Körner in die Hand.

»Da, zerkaue sie aber gut«, riet sie und reichte sie dem Jungen.

»Was gibst du ihm?« fragte der Vater.

»Kümmelkörner. Der Tee hilft. Aber für Tee brauchen wir kochendes Wasser.«

»Wann werden wir endlich etwas Heißes zu essen bekommen?« rief Konrad in den Wagen.

»Freuen wir uns lieber, daß wir überhaupt etwas haben und bisher satt geworden sind«, tröstete Vater.

Es blieb lange hell an diesem Tag. Die Sonne zog vor ihnen her und versank wie eine matte, rote Scheibe im Dunst. Die Nacht brach schnell herein. Der Zug stockte. Es sprach sich herum, daß in der Nacht niemand weiterfahren durfte. Das wäre wegen der Risse zu gefährlich.

Konrad fütterte Lotter und warf ihm eine Decke über den Rücken. Wasser lief über das Eis.

»Die Eisfläche beult sich unter der Last«, sagte Vater.

Sie krochen dicht zusammen. Mutter hatte das Bettenbündel aufgeschnürt. Aber selbst unter dem Federberg froren sie.

19

Konrad erwachte und hatte das Gefühl, es müßte bald Morgen sein. Die Zeltplane schlug gegen das Holz. Er stand leise auf, um sie festzubinden. Sturm pfiff ihm ins Gesicht und trieb dicke Schneeflocken und Regen mit sich. Eine weiße Schneewolke, die so dicht war, daß er nicht einmal Lotters Ohren sehen konnte, hüllte alles ein.

»Warum bist du aufgestanden?« flüsterte Vater.

»Die Plane schlug im Wind.«

»Schneesturm.«

»Schlimm, Vater?«

»Jedenfalls werden die Tiefflieger nicht kommen.«

»Das ist gut, Vater. Hör, wie das Kind schreit.«

»Ja, Junge, es jammert schon seit Stunden.«

»Wie geht es dir, Vater?«

»Besser, Junge. Das Fieber ist weg. Ich fühle mich frischer als gestern.«

»Gott sei Dank«, sagte Konrad.

Alles war weiß überzogen, Plane, Wagen, Bock und Pferd. Nur das Eiswasser blinkte schwarz herauf. Es war gestiegen und reichte Lotter bis über die Knöchel.

Konrad zog seine Uhr hervor. Er hielt sie dicht vor die Augen, aber genau konnte er nicht erkennen, wie spät es war.

»Ich glaube, es geht auf fünf Uhr zu, Vater.«

»Mag sein, Junge. Heute wird es vor acht Uhr nicht hell.

Leg dich noch einmal hin und schlaf.«

Konrad kroch wieder in den Federberg. Vater zurrte die Plane fest. Der Sturm heulte lauter und verschlang selbst das Kinderschreien. Nur zuweilen drang es noch herüber, leiser.

Während Konrad bald wieder eingeschlafen war, blieb Vater mit offenen Augen liegen und dachte an die kommenden Tage. Würde die Flucht gelingen? Oder standen die Russen am Fuß der Nehrung schon bereit, um sie zu empfangen? Schloß sich der Kessel in Danzig oder in Gdingen? Konnte die wankende deutsche Front die russischen Armeen noch einmal zum Stehen bringen? Oder wenigstens ihren schnellen Vormarsch verlangsamen?

Berlin, dachte Vater. In Berlin wohnt Georg, mein Bruder. Aber wie weit ist Berlin? Viele Wochen mit dem Gespann. Und unser Kind. Bald wird unser Kind geboren in Schnee und Eis, auf der Flucht.

Wie eine schwarze Wand wuchsen die Sorgen vor ihm auf. Schließlich nahm er sich vor, nur an diesen Tag zu denken, der grau und stürmisch heranbrauste. Ob sie das Eis wohl heute schon verlassen konnten? Er schaltete die kleine Taschenlampe an und zog die Karte aus der Seitentasche. Wenn der Sturm anhält, kommen wir nur langsam vorwärts, dachte er. Das heißt, daß wir noch eine Nacht auf dem Eis liegen. Er löschte das Licht und legte sich zurück. Es fiel ihm ein, wie schön es hier vor wenigen Jahren gewesen war. »Wie viele Jahre sind es eigentlich?« Er begann zu zählen. »Kaum zehn. Ich war mit Agnes auf der Ausstellung in Braunsberg.« Er lächelte im Halbschlaf, als er daran dachte, daß seine Stute Pallas den ersten Preis geholt hatte. Gerade war sie gewachsen, und gut hatte er sie gepflegt. Lotter war ihr Sohn. Und gäbe es eine Ausstellung, auch Lotter würde den Ehrenpreis holen. Später war er mit Agnes in ein flach gebautes Segelschiff gestiegen und weit aufs Haff hinausgeglitten. Wo damals Leben und Lachen war, gab es heute nur Trauer und Tod.

Rufe drangen durch das Geheul des Sturmes. Eine Trillerpfeife schrillte. Er erhob sich, wickelte den Schal fest und drückte die Mütze tief in die Stirn. Es mußte längst Tag sein. Durch das Schneetreiben sah er das nächste Fuhrwerk nur wie einen Schatten. Und auch der verschwand. Er ergriff hastig die Zügel und trieb Lotter an, der mit steifen Beinen durch das Wasser stakte. Jetzt sah er den Wagen vor sich wieder. Ihn verlieren, das hieße, den Weg verfehlen, in die Irre fahren.

Er schaute sich um und schrie in die Schneewand. Antwort schallte zurück. Der Schneesturm tobte schlimmer als zuvor. Waagrecht jagte der Wind die Flocken und warf sie gegen Wagen und Pferd. Das Heulen des Sturmes übertönte jeden Ruf und zuweilen sogar das Singen und Bersten des Eises.

»Die Kinder frieren, Johannes«, klagte die Mutter.

Vaters Gesicht war starr wie das Eis selber. Kaum vermochte er zu antworten. »Das Kind drüben schreit nicht mehr«, sagte er nur.

Franz wimmerte leise. Konrad spürte seine Finger nicht mehr, obwohl er mit Albert unter den Federn begraben lag. Der Sturm fand jede Ritze, jeden Spalt.

»Der Kornschnaps!« sagte Mutter.

»Ja, Frau, gib jedem von dem Korn«, stimmte Vater zu. »Und schütte mir einen doppelten ein. Als Medizin sozusagen.«

Mutter suchte im Rucksack und zog die Flasche hervor. Sie goß jedem Kind einen Schluck in den Becher. Franz sträubte sich zu trinken, doch sie hielt ihm die Nase zu und zwang ihn zu schlucken. Eine brennende Spur floß Konrad durch die Kehle. Er spürte sie bis zum Magen. Er schüttelte sich. Nebelbilder traten vor seine Augen.

Erst am Nachmittag schien die Gewalt des Unwetters gebrochen, doch schneite es fort und fort, böige Winde wirbelten die Schneeflocken durcheinander. Früh wurde es Nacht. Die zweite Nacht auf dem Eis.

Über dem Docht der Sturmlaterne versuchte Mutter in einem kleinen Topf ein wenig Wasser zu wärmen. Sie wollte wenigstens für Franz ein paar Haferflocken zubereiten. Es gelang nicht. Der Wind fuhr in den Wagen und pustete die Flamme aus. Auch wäre das winzige Feuer wohl kaum imstande gewesen, den Schnee zu tauen und das Wasser zu erhitzen. Schließlich gab sie es auf. Franz erhielt eine Scheibe vom letzten Brot. Die anderen kauten Haferflocken mit Zucker und als Nachtisch ein Bröckchen Brot. Wurst gab die Mutter den Kindern nicht. Denn die gewürzten Speisen locken den Durst. Und außer dem Schnee, der auf die Zunge fiel, gab es nichts mehr zu trinken.

Als Vater am Morgen die Plane losband, hatte das Schneetreiben aufgehört. Zwar war es dunstig, und graue Wolken hingen tief über dem Eis, aber darüber freute er sich. Fliegerangriffe waren bei diesem Wetter kaum zu befürchten.

20

Gegen Mittag verdichtete sich der Dunst vor ihnen. Allmählich wuchs aus dem nebligen Schleier ein dunkler Streifen über dem Eis, die Küste. Dann unterschieden sie die Dünen und das helle Grau der Häuser eines Fischerdorfes. Die Katen duckten sich unter schweren Strohdächern.

»Es sieht aus«, sagte Hedwig, »als ob die Schneelast auf den Dächern die Häuser in den Sand gedrückt hätte.«

Die Wagenschlange kroch auf Bodenwinkel zu. Lotter trabte an. Die Muskeln auf dem Rücken und über den Hinterbeinen sprangen hervor. Er zog den Wagen schnell auf die Uferstraße.

»Endlich wieder Erde unter den Rädern!« sagte Konrad.

Es schien, als ob alle freier atmeten. Die Freude, dem brüchigen Eis und der grimmigen Kälte entronnen zu sein, deckte die Angst ein wenig zu.

Sie fuhren bis hinter den Dünenstreifen. Dann wiesen Feldjäger den Weg durch Bodenwinkel. Aus einem Ziegelhaus mit vielen Fenstern strömten vermummte Leute. Sie trugen dampfende Gefäße. Andere standen aufgereiht und warteten darauf, eingelassen zu werden. Sie stampften hart mit den Füßen und schlugen die Arme um die Brust.

Konrad lief das Wasser im Mund zusammen. »Dort gibt es etwas Heißes!« rief er fröhlich.

»Ich bin durchgefroren bis in die Seele«, bemerkte Albert und schüttelte sich.

Das Fuhrwerk bog von der Straße ab und rumpelte auf einen zerstampften Acker. Wagen neben Wagen standen hier, lange und lange Reihen. Ein Feldjäger trat hinzu. »Sie können den Wagen unbesorgt hier stehen lassen. Wir achten auf alles.«

»Wo sollen wir hingehen?« fragte Vater.

»Gehen Sie in die Baracken dort. Wir haben gut geheizt.« Er half Mutter vom Fuhrwerk.

Vater schirrte Lotter aus, warf ihm eine Decke über und band ihn an den Balken vor der Baracke zu den anderen Pferden. Sie öffneten die Tür. Eine Welle heißer rauchiger Luft schlug ihnen entgegen. Mutter wurde es schlecht. Sie preßte ihr Taschentuch gegen den Mund. Ein Kanonenofen stand mitten im Raum. Er glühte.

»Hier ist noch ein Plätzchen, Frau«, rief ein alter Stoppelbart. Er rückte ein wenig zur Seite. Vater legte die schmalgefaltete Decke auf den Boden. Die Kinder setzten sich darauf.

»Ihr könnt dort drüben eine heiße Suppe holen«, riet der alte Mann.

»Konrad wird gehen«, ordnete der Vater an.

»Laß mich doch gehen, Vater, ich weiß, wo die Suppe ausgeteilt wird«, sagte Albert.

»Konrad geht.«

»Wir sind doch an der Schule vorbeigekommen, Vater«, wagte Albert einzuwenden.

»Er hat recht«, bestätigte der Alte. »In der Schule gibt es das Essen.«

»Laß ihn gehen, Johannes; er wird sich schon zurechtfinden.«

»Also dann«, gab Vater nach.

Albert verschwand mit dem kleinen Eimer hinter den

122

ersten Häusern des Dorfes.

Vater mischte Kleie und Hafer mit Wasser für das Pferd. Er drängte sich durch die Leute und stellte das Futter einen Augenblick auf die Ofenplatte, damit die Eiseskälte wich. Dann trat er zu seinem Pferd. »Bist ein braves Tier, Lotter«, lobte er es. »Hast uns sicher hierher gebracht. Mit dir werden wir es schaffen.«

Lotter hob das Maul aus dem Eimer und schnaubte, daß die Spreu flog. Vater täschelte den braunen Hals des Pferdes und wartete, bis Lotter das letzte Korn gefressen hatte. Er schaute zum Ort hinüber. Eine schwarzgekleidete Frau kam heran. Sie trug einen Suppentopf. »Ist mein kleiner Junge noch nicht bald an der Reihe? Er ist blond und acht Jahre alt.«

»Hatte er einen blauen Eimer in der Hand?«

»Ja, unseren kleinen Kartoffeleimer.«

»Er stand kurz hinter mir in der Schlange. Gleich muß er hier sein.«

Konrads Hände schmerzten. In den Fingerspitzen pochte das Blut. Seit Tagen spürte er die erste Feuerwärme.

»Hoffentlich kommt Albert bald. Ich habe Hunger«, sagte Hedwig. Aber Albert blieb aus. Viel zu lange, schien es Mutter.

»Vielleicht hat die Frau ein anderes Kind gemeint. Ich sehe einmal nach.«

Vater schlüpfte in die Joppe. Die Tür schlug hinter ihm zu. Drei- oder viermal öffnete sie sich wieder. Statt Vater traten neue Flüchtlinge herein. Konrad wurde ängstlich und sah zur Mutter hinüber. Er bemerkte ihre Unruhe.

»Soll ich einmal nachsehen, Mutter?« bettelte er.

»Wart noch, Junge.«

Nach einer Weile jedoch winkte sie ihm, daß er gehen solle. Bevor er aber die Jacke übergezogen hatte, riß Vater die Tür auf und trat zur Mutter.

»Vor einer halben Stunde schon ist er aus der Schule weggegangen. Ich habe ihn nicht mehr gefunden. Wir müssen ihn suchen.«

»Der kleine blonde Junge ist weg?«

»Warum schickt ihr so einen kleinen Jungen?«

»So viele Kinder sind verlorengegangen!«

Alle redeten plötzlich durcheinander. Eine hagere Frau erbot sich, auf Franz zu achten.

»Ich suche mit«, entschloß sich der stoppelbärtige Alte.

»Er kann nicht weit gekommen sein«, sagte Vater. »Wir gehen vom Marktplatz aus einzeln durch die Straßen des Ortes und fragen jeden, der uns begegnet. In einer Stunde, wenn die Kirchenuhr vier zeigt, kommen alle wieder auf den Platz zurück.«

Sie hasteten in den Ort. Vater wies Hedwig ein paar kurze schmale Straßen an. Konrad sollte in Richtung des Haffs suchen. Vater und Mutter nahmen sich den größten Teil des Ortes vor. Der Alte sagte, er wolle zwischen den Wagen und bei den Soldaten nach dem Kind forschen.

Noch einmal blickte Konrad sich um. Dann war er allein zwischen den Häusern. Ein Mädchen kam ihm entgegen.

»Hast du meinen Bruder nicht gesehen? Er ist blond und trägt einen kleinen blauen Eimer in der Hand.«

Das Mädchen blickte ihn scheu an, zuckte die Schultern und huschte vorbei. Er lief weiter.

»Haben Sie meinen Bruder nicht gesehen?« fragte er einen Mann in brauner Uniform.

»Das heißt hier Heil Hitler«, tadelte der Mann und blickte mißbilligend. Konrad schwieg.

»Na, wie sah er denn aus?«

»Er ist blond und reicht mir bis zur Nase.«

»Es gibt so viele blonde Jungen in der Stadt.«

»Er trug einen Eimer.«

»Eimer? Nee, habe ich nicht gesehen.«

Eilig trippelte ein dünner Herr daher. Er trug eine Tasche unter dem Arm.

»Haben Sie vielleicht . . .«

»Ich habe selber nichts.«

»Ich suche doch . . .«

»Laß mich, Junge. Ich habe es eilig.« Im Vorbeigehen murmelte er etwas, das wie »lästiges Pack« klang.

Konrad schwitzte. Die nächste Straße lag menschenleer. Nirgendwo eine Spur von Albert. Er hetzte weiter und bog in die Querstraße ein.

»Haben Sie nicht . . .«

Aber niemand war Albert begegnet. Konrad mußte umkehren. Er war am Rand des Ortes angelangt. Die Straße führte weit ins weiße Land.

Da! Wer kauerte dort auf der Schwelle des letzten Hauses?

»Albert!«

Der Junge sprang auf, starrte ungläubig Konrad an, kam ihm mit kleinen, unsicheren Schritten entgegen und klammerte sich schluchzend an ihn.

»Ich habe mich verlaufen«, brachte er schließlich hervor.

Konrad trug den Eimer. Auf dem Markt warteten alle. Hedwig stieß einen Schrei aus, als sie die beiden erblickte. Albert ging zwischen Vater und Mutter. Vater hatte ihm den Arm um die Schultern gelegt. Die Suppe war längst kalt und steif geworden, doch Mutter wärmte sie auf dem Kanonenofen.

»Es ist, als ob mir Albert zum zweitenmal geboren wäre«, sagte sie zu Vater.

21

Sie waren spät dran, als sie am nächsten Morgen anschirrten und losfuhren. Mutter hatte Kaffee in zwei Flaschen gefüllt und in Tücher gewickelt. Blaß stand die Sonne am Himmel. Der Treck war dicht. Lotter kam nicht recht vorwärts. Sie mußten schließlich froh sein, wenn es nur im Schritt weiterging. Ständig begleitete sie der Geschützdonner. Er war gute Nahrung für Gerüchte, die mit dem Schneewind von Wagen zu Wagen sprangen.

»Marienburg ist gefallen«, flüsterte es dort.

»Die Russen beschießen Danzig«, zischelte es hier.

»Abgeschnitten!« tuschelte es immer. »Abgeschnitten.«

»Sie haben Elbing besetzt.«

Doch Vater war zuversichtlich. »Wir werden in Danzig ein Schiff bekommen. Das schwimmt bis Kiel.«

Seine Hoffnung steckte die Kinder an, und Mutter richtete sich an ihr auf, obwohl sie nie von der möglichen Seereise sprach. Als die Bäume in der Nachmittagssonne Schatten warfen, stand der Treck wieder. Noch bevor sie den Fluß erreicht hatten, war es fünf Uhr, und sie mußten sich nach einem Quartier umsehen. In einem überfüllten Tanzsaal eines Gasthauses fand sich ein Plätzchen. Auf Strohschütten lagen die Flüchtlinge. Sie waren tagelang nicht aus den Kleidern gekommen.

»Bitte, Mutter, kämm mich«, bat Hedwig. »Mir juckt der Kopf.«

Der Mutter ging es nicht gut. Vom Schaukeln und Rukken des Wagens schmerzte ihr der Rücken. Vater ängstigte sich um sie. Schonen sollte sie sich. Aber sie gönnte sich keine Ruhe. Sie griff zum Kamm. Hedwigs Haar war stumpf geworden. Nur schwer brachte sie den Kamm hindurch. Plötzlich schreckte Mutter zusammen.

»Läuse!« flüsterte sie.

Die Kinder starrten auf Hedwig. Das Mädchen begann leise zu weinen. Da lachte eine Frau neben ihnen laut.

»Läuse?« rief sie. »Flucht und Läuse gehören zusammen. Alle sind verlaust. Selbst Napoleon hat auf der Flucht Anno 1813 Läuse gehabt.« Das Lachen flog durch den Saal. »He«, rief eine Männerstimme aus der hintersten Ecke, »sind da die Bienmanns aus Leschinen?«

»Bist du es, Paul Fuchs?« fragte Vater.

»Aber ja!« schallte es zurück.

Vater stieg über die Lager der vielen Leute und kehrte nach längerer Zeit erst wieder zurück. Er tuschelte Mutter zu: »Wir fahren morgen in aller Frühe mit Paul Fuchs los. Er weiß, daß die Weichselbrücke nur bis neun Uhr geöffnet ist.«

»Warum, Vater?« wollte Albert wissen.

»Ab neun wird der Mittelteil der Brücke ausgeschwommen, damit die Schiffe durchfahren können.«

»Fahren die denn nicht darunter her?«

»Nein, Junge, die Eisenbrücke ist zerstört. Die Pioniere haben eine Pontonbrücke gebaut.«

»Schlaft jetzt, Kinder!« bat die Mutter.

Aber das war kaum möglich. Immer wieder schallten Stimmen und Gelächter durch den Saal.

Es war noch Nacht, als Vater sie leise rüttelte. Sie schlichen sich hinaus. Paul Fuchs hatte bereits angeschirrt. Die Frau und zwei Kinder stiegen auf den Wagen.

»Wo ist euer kleiner Justus?« fragte Albert.

»Still«, sagte Vater rauh.

Erst als sie hinter Fuchs' Fuhrwerk auf der Straße fuhren, beantwortete er Alberts Frage: »Justus ist bei der Fahrt über das Haff erfroren.«

Konrad fiel das Kindergeschrei ein. Er wußte plötzlich, warum es immer leiser geworden war. Vor acht Uhr sahen sie die Weichselbrücke vor sich liegen. Viele Gespanne warteten. Ein Marinesoldat in blauer Uniform trat auf sie zu und bat: »Gib mir Feuer, Alterchen.«

Konrad lachte in sich hinein. »Alterchen«, hatte der Matrose zu Vater gesagt. Doch so ganz abwegig war seine Anrede nicht. Das kränkliche, blasse Gesicht war mit langen, steifen Bartstoppeln bedeckt. Schwarz und grau.

»Wann geht es weiter, Kamerad?« erkundigte sich Vater. Der Matrose blies den Rauch in einem dünnen Strahl in die Luft. »Vor neun vielleicht, oder erst in der Nacht. Die Brücke ist ganz verstopft mit Militärfahrzeugen.«

Es ging wirklich erst los, als es beinahe neun war.

Gleichmäßig klapperten Lotters Hufe, eintönig knarrte das Holz des Wagens. So ging es bis in die Nacht. Die Kinder fielen in einen flachen Schlaf. Jedesmal, wenn der Zug stockte und das vertraute Schaukeln und Rukken des Wagens für eine Weile der Stille wich, erwachte Konrad, sah den Rücken des Vaters auf dem Bock und Mutter im abgeblendeten Licht der Sturmlaterne. Die Perlen des Rosenkranzes glitten durch ihre Hände, und ihre Lippen bewegten sich, ohne daß ein Laut darüberschlüpfte.

Gegen Morgen wachte Konrad auf. Sie standen wieder. Es war kalt. Er sah, daß Mutter sich zurückgelehnt hatte. Ihre Hände lagen ruhig. Der Rosenkranz war ihr in den Schoß geglitten. Lautlos richtete er sich auf und zog ihr die Zudecke bis unter das Kinn. Sie blinzelte, lächelte dankbar und kuschelte sich in das Federbett. Der Junge schlug sich in die Decke und tippte Vater auf die Schulter.

»Laß mich ein wenig fahren, Vater.«

Vater rückte zur Seite und reichte ihm die Zügel. Doch kroch er nicht in den Karren, sondern nahm seinen Tabaksbeutel und stopfte die Pfeife. Sein Gesicht sah im Schein des Streichholzes hager und übernächtigt aus. Tiefe Falten zogen sich vom Mund her in die Bartstoppeln, und scharf hatten sich die Krähenfüße an den Augen eingegraben.

Es ist gut, wenn Vater neben mir sitzt, dachte Konrad und steckte seine Hand zu der des Vaters in die Joppentasche.

»Es kann sein, Junge«, begann der Vater nach einer Weile, als Lotter den Wagen nicht weiterziehen konnte, »es kann sein, daß wir durch widriges Geschick einmal auseinanderkommen.«

»Laß uns doch zusammenbleiben, Vater.«

»Junge, merk dir gut, was ich dir nun sage. Solltest du je von uns getrennt werden, dann versuche stets, zu Onkel Georg nach Berlin zu gelangen.«

»Nach Berlin? Zu Hubertus' Vater? So weit?«

»Wir werden wohl die Heimat so bald nicht wiedersehen, Konrad«, sagte der Vater ernst und starrte lange vor sich hin, bevor er weitersprach.

»Wiederhole die Adresse: Berlin-Wedding, Konstantinweg 144 d.«

Gehorsam wiederholte der Junge die Anschrift.

»Dorthin wollen wir alle. Dann werden wir weitersehen.«

»Nie wieder nach Leschinen?« flüsterte Konrad. Ihm fiel plötzlich der schwere Karpfen ein, den er im Sommer gefangen hatte, und die große Wiese hinter dem Wald und Miau und die Eulen.

Vater spürte, wie niedergeschlagen der Sohn war, und begann zu erzählen: »Georg war unser Ältester und groß und stark. Als ich noch ein ganz kleiner Bursche war, spielte er am Johannistag einmal den Goliath. Der Lehrer wollte es so. Georg spielte gern. Aber am Riesen Goliath lag ihm gar nichts. Das Schwert und der blanke Helm gefielen ihm schon, aber daß der kleinste Junge aus der ganzen Schule ihn jedesmal bezwingen durfte, das hatte er nicht gut vertragen, zumal ihn die Nachbarskinder damit neckten. Viermal hatte der Lehrer das Spiel schon geprobt, und viermal hatte sich Goliath so echt niederfallen lassen, als ob des kleinen Davids Schleuder wirklich mit einem Stein bestückt gewesen wäre. Am schlimmsten war für ihn der Augenblick, wenn David seinen Fuß auf Goliaths Brust setzte, ihm das Holzschwert abnahm und mit der Spitze in seinen Hals piekte.

Bei der ersten Probe kitzelte der tote Riese den Gottesmann unter dem Fuß, und der begann zu lachen, statt das Heer der Israeliten zum Lob des Herrn aufzufordern. ›Wen es juckt, den muß man kratzen‹, schimpfte der Lehrer erzürnt und zog Georg mit der Haselrute so heftig über den Hosenboden, daß die folgende Probe ohne Störung verlief. Der Riese blinzelte lediglich aus schmalen Augen und achtete auf die Philister, die unverhohlen lachten, und schwor, die größten Spötter noch vor dem Fest durchzubleuen; was er dann auch redlich besorgte. Bei der Generalprobe am Abend vor dem Johannisfest wagte niemand mehr, den Mund zu verziehen, und das genoß der sterbende Riese in heimlichem Trost. Am Festtag dauerte es lange, bis Georg an die Reihe kam.

130

Erst gratulierten die Kinder dem Pfarrer zum Namenstag, ein Mädchen trug ein Gedicht vor, Sackläufer und Eierläufer tollten über die Wiese, aber dann war es soweit. Schliebuschs Paul stieß in seine Trompete. Kinder und Erwachsene sammelten sich vor der offenen Seite des Pfarrhofes. Das Spiel konnte beginnen. Das Heer der Philister und die Männer des Volkes Israel, zu denen ich auch mit meinen sieben Jahren zählte, kämpften und kamen schließlich überein, daß es besser sei, zwei für alle streiten zu lassen.«

»Wie schön wäre das heute. Aber ob Hitler gewinnen würde?« fragte Konrad.

»Georg trat hervor und brüstete sich, schlug mit dem Schwert gegen seinen Schild und lachte tief und laut über den kleinen David. Wie abgemacht, ließ er sich wie tot zu Boden fallen. David trat heran und stellte ihm den saubergewaschenen Fuß auf die Brust, nahm ihm das Schwert ab und erstach ihn vollends. Der besiegte Philister wagte einen Blick in die Zuschauer. Alle lachten. Sogar der Pfarrer. Das war dem toten Riesen denn doch zuviel. Was dachten sie von ihm? Das Blut schoß ihm in den Kopf. Heftig sprang er auf. Lehrer Brook fiel vor Schreck fast vom Stuhl. David wich ängstlich zurück. Georg faßte den Knirps am Gürtel, hob ihn auf, trug ihn zehn, zwölf Schritte bis ans Schweinegatter und warf ihn zu den Ferkeln. Wütend drehte er sich um.

Rings sah er entsetzte Augen auf sich gerichtet. Nur der Pfarrer lachte und winkte ihn zu sich heran. Georg trat mit gesenktem Kopf vor ihn. ›Mein Sohn‹, sagte er freundlich, ›es ist ganz leicht, den Knaben zu den Schweinen zu werfen. Aber damals trug David Gott auf seinen schmalen Schultern. Deshalb besiegte er den Riesen.‹

Die Belehrung, die Lehrer Brook an diesen Ausgang des Spieles knüpfte, war nicht weniger gehaltvoll. Nur drang sie auf einem anderen Weg, nämlich vom Hosenboden her, in die Seele.«

»Du kannst ja besser erzählen als Janosch, Vater.«

Grauer Morgen kam und schneidende Kälte mit ihm. In der Ferne suchte der Junge die Dächer von Danzig. Doch Vater schätzte, es wären wenigstens noch fünfzehn Kilometer bis dorthin.

»Ich lege mich noch ein bißchen auf's Ohr«, sagte er. »Rufe mich, wenn du die Häuser von Danzig siehst.«

»Ja, Vater«, sagte der Junge.

22

Der Morgen kroch dahin und auch der Mittag. Endlich erreichten sie die große Stadt. Der Treck zog weiter. Vater jedoch scherte aus und fragte sich bis zum Hafen durch. Die Kais lagen verlassen. Er fand ein Büro, das für Flüchtlinge zuständig war. Es lag merkwürdig still. Kein Menschenstrom zwängte sich durch die Tür.

»Du gehst mit«, sagte Vater. Konrad zog seine Jacke zurecht und folgte ihm.

Auf sein Klopfen rief eine Stimme mürrisch: »Herein!« Sechs schwarze zerkratzte Schreibtische standen ausgerichtet hintereinander. Lediglich über dem ersten brannte trüb eine elektrische Birne. Ein schmaler Mann saß über eine Akte gebeugt. Spitze Schulterknochen bohrten sich durch die Jacke. Der Federhalter hakte unentwegt Namen ab. Namen, Namen, Namen. Der ganze Schreibtisch war übersät mit Bögen voller Namen. Er schien vergessen zu haben, daß er die beiden hereingerufen hatte. Vater stand im Halbdunkel und hielt die Mütze in den Händen. Plötzlich drehte sich der Mann um. Er blinzelte durch dicke randlose Brillengläser in den dämmrigen Raum.

»Nun?« Sein kleiner Mund blieb fast geschlossen, während er sprach.

»Wir wollen fragen, wann das nächste Schiff ins Reich fährt?« begann Vater.

Der Mann riß seine Brille von der schmalen Nase. Ein

säuerliches Lächeln schlich sich um seine Lippen.

»Schiff, wie?« Das Lächeln quoll über vor Spott. »Heim ins Reich, wie?« Dann sprang er auf.

»Hier!« rief er und schlug mit der flachen Hand auf den Schreibtisch, daß die Namenlisten aufflogen wie aufgescheuchte Möwen. »Hier sitze ich seit vorgestern.« Er riß ein Päckchen Blätter hervor und ließ sie hinunterflattern.

›Bringen Sie die Listen in Ordnung, Mündier‹, haben die Genossen gesagt, verstehen Sie?«

Doch weder Vater noch Konrad verstanden, was er meinte.

»Wir kommen doch nur, weil wir einen Platz auf dem Schiff wollen«, versuchte Vater zu erklären. »Die Frau in Braunsberg meinte, von Danzig aus sei es möglich, mit dem Schiff zu fliehen.«

»So, das meinte die Frau. Aber sie hat wohl nicht gewußt, daß vorgestern das ganze Büro mit dem letzten Schiff selbst geflohen ist, wie?«

»Mit dem letzten Schiff?«

»Genau das, Mann. Klingt häßlich wie?«

»Das heißt also .. «

»Jawohl. Das heißt, daß ich jetzt auch Schluß mache mit dem ganzen Plunder.«

»Wir fahren schon sechsunddreißig Stunden ohne Schlaf«, sagte Vater. Seine Stimme klang mutlos, niedergeschlagen. »Vielleicht in Zoppot?«

»Ziehen Sie nach Zoppot. Nur zwanzig Kilometer. Vielleicht fährt dort ein Schiff ab.«

»Wir können nicht noch eine Nacht fahren. Meiner Frau geht es nicht gut. Wir bekommen bald ein Kindchen.«

»Nun, vielleicht morgen. Fahren Sie bis zum nächsten Quartier. Es liegt an der Straße, die nach Zoppot führt.«

»Danke«, sagte Vater, stülpte seine Mütze auf und wandte sich zum Ausgang.

Die Schule lag am Stadtrand. Es gab eine heiße, dicke Gemüsesuppe mit ein paar Brocken Fleisch darin. Eine Schwester schöpfte die Geschirre randvoll. Selbst für Lotter fand sich ein warmer Platz.

»Zoppot«, flüsterte Vater und zeigte Mutter das Städtchen auf der Karte. »Wie lange werden wir fahren, Johannes?«

Er dachte, daß es in alten Tagen wohl kaum vier Stunden gedauert hätte.

»Ich weiß es nicht, Agnes.«

»Werden wir ein Schiff bekommen, Johannes?«

»Der Mann hat es gesagt, Agnes.«

Doch keiner glaubte so recht an Zoppot und das Schiff. Ihre Zweifel trogen sie nicht. Als sie am nächsten Abend in Zoppot ankamen, war das letzte Schiff längst weg. Es gab nicht einmal ein Büro mit einem Angestellten. Nichts. Vater entschloß sich, für die Nacht am Rand der Stadt zu bleiben. Mutter war erschöpft, und selbst Lotter ließ seinen Kopf von Stockung zu Stockung tiefer sinken. Sie fanden einen Stall und waren die einzigen Nachtgäste dort.

Nach Gdingen wälzte sich der Treck. Je näher sie der Stadt kamen, desto wilder wurden die Gerüchte. Viele hofften auf ein Schiff und waren bereit, Pferd und Gut und Wagen zurückzulassen für einen Platz auf dem Oberdeck oder auch in den Lagerräumen. Es hieß, die Weichsel sei an vielen Stellen von den Russen überschritten worden. Sie rumpelten schon fast eine Stunde über eine breite, gepflasterte Stadtstraße. Die war vollgestopft mit Pferden und Autos, Fußgängern und Handkarren. Es gab Geschrei und Geschimpfe. Doch davon drehte sich kein Rad schneller. Vater bog in eine Seitenstraße ein und fragte ein halbwüchsiges Mädchen nach dem Weg zum Hafen.

»Lassen Sie den Wagen am besten hier stehen und gehen Sie zu Fuß«, riet das Mädchen. »Es sind nur zehn Minuten Weg. Die ›Wilhelm Gustloff‹ liegt noch am Kai.«

»Ein Schiff?« rief Hedwig.

»Ein ganz großes Schiff«, bestätigte das Kind. »Aber gehen Sie erst zum Büro. Dort gibt es die Karten. Ohne Karten darf niemand an Bord.«

Vater und Konrad eilten dem Hafen zu. Das Schiff schien unter Dampf zu stehen. Hoch ragte seine Bordwand über den Kai. Kopf an Kopf drängten sich die Menschen an Deck. Über das Fallreep jedoch lief niemand mehr.

Eine Menschenmenge hatte sich vor einem Haus am Kai versammelt. Vater nahm an, daß das Büro dort sei, und schritt am Schiff vorbei auf das Haus zu. Erregung hatte die Leute gepackt. Obwohl nur einige miteinander flüsterten, spürte Konrad sogleich, wie aufgeregt sie waren. Er sah es an ihren hastigen Bewegungen und den wütenden Blicken, die sie auf die verschlossene Tür richteten.

»Warum darf niemand hinein?« fragte Vater.

»Sie sagen, das Schiff sei schon überfüllt. Es gibt keine Karten mehr«, antwortete ein alter Mann.

»Keine Karten mehr?« rief Konrad erschrocken.

»Und warum steht ihr hier?«

»Das Schiff muß zurückkommen und uns holen.«

»Dann wird es zu spät sein«, ereiferte sich eine große hagere Frau. »Wir wollen jetzt mit. Jetzt! Die Stadt hat schon den Räumungsbefehl!«

»Jawohl«, rief ein Mann, der sich auf Krücken bewegte, »jawohl. Wir wollen jetzt mit. Wer weiß, ob das Schiff wiederkommt.« Vater lief an dem Haus entlang und blickte durch die Scheiben in alle Räume.

»Was machen die da drin?« Konrad stellte sich auf die Zehen und sah, wie ein Mann in der schwarzen Uniform der SS eine Akte in den Ofen stopfte.

»Sie packen und verbrennen«, sagte Vater bitter. »Es geht genau wie in Danzig. Das Büro wird verlegt. Sie fliehen selbst mit dem letzten Schiff.«

Konrad lief zum nächsten Fenster und warf einen Blick hinein. Zwei Frauen versuchten einen schweren Lederkoffer zu schließen. Hinter dem Schreibtisch hockte ein Mann in goldbrauner Uniform. Er hatte weißes, gewelltes Haar. Jetzt hob er den Kopf.

»Brennschere!« schrie Konrad überrascht.

Vater trat an das Fenster. Kein Zweifel. Es war Olbrischt. Mit dem Knöchel pochte Vater hart gegen die Scheibe. Unwillig blickte Olbrischt zum Fenster herüber und machte wütend ein Zeichen. Doch dann erkannte er Johannes Bienmann. Er schien einen Augenblick verwirrt, sprang aber schließlich auf und öffnete das Fenster.

»Mensch, Bienmann, wo kommst du denn her?«

»Na, woher schon, Olbrischt.«

»Fein, daß du es geschafft hast«, strahlte Olbrischt und schlug Vater auf die Schulter.

»Ich habe es nicht geschafft, Olbrischt«, widersprach Vater. »Ich will auf das Schiff!«

»Aber sicher, Bienmann. Ich werde euch gleich vormerken.« Er eilte zum Schreibtisch zurück und kritzelte etwas auf ein Kalenderblatt. Dann rief er zum Fenster hin: »Also, ihr kommt dann morgen vorbei. Dann ist bestimmt wieder ein Schiff da. Die ›Wilhelm Gustloff‹ kehrt ja auch zurück.«

»Aber du bist morgen nicht mehr da, Olbrischt.«

Betroffen fuhr Brennschere herum. »Wie meinst du das?« fragte er unsicher, und seine kleinen Augen huschten flink durch den Raum und hätten ihn verraten, auch wenn der Koffer nicht halb gepackt auf dem Stuhl gestanden hätte.

»Wie ich es sage«, knurrte Vater.

Olbrischt wandte sich an die beiden Frauen und herrschte sie an: »Verlaßt das Zimmer, Olga, Katrin!«

Sie kicherten und gingen hinaus.

»Bienmann«, Olbrischt trat nahe heran und flüsterte, »ich habe keine Karte mehr, Bienmann. Ich würde dir ja gerne helfen. Aber es ist nichts zu machen. Das Schiff bricht bald auseinander, so viele Menschen sind schon drauf.«

Vater biß die Zähne zusammen. Am liebsten wäre er wortlos gegangen. Er warf einen Blick zum Schiff hinüber.

»Denk an meine Frau, Olbrischt«, mahnte der Vater. »Und stell dir vor, was die Menge dort mit euch macht, wenn sie erfährt, was ihr vorhabt.« Olbrischt rannte im Zimmer auf und ab.

»Ich will es versuchen«, murmelte er schließlich und ging zur Tür. Keine zehn Minuten waren vergangen, da kehrte Olbrischt zurück, einen Schein in der Hand. Sein Gesicht war gerötet.

»So«, sagte er, »hier ist der Schein, Nachbar. In einer halben Stunde legt das Schiff ab.«

»Danke«, sagte Vater.

Sie hasteten zum Wagen zurück. Eilig packte jeder sein Bündel. Konrad tätschelte Lotter zum Abschied den Hals. Das Pferd hielt den Kopf tief gesenkt. Vater blickte sich nicht um. Er wollte das Pferd nicht mehr ansehen.

Albert schleppte den Kasten mit Nikolai. Er mußte sich

plagen. Konrad sah es und faßte zu. »Wir können ihn doch nicht zurücklassen«, sagte der Junge.

Sie kamen gerade an das Fallreep, als die Männer und Frauen des Büros zum Schiff hinübergingen. Die meisten waren uniformiert. Alle schleppten schwere Koffer. Die Menge vor dem Haus hatte sich zerstreut. Bienmanns traten heran. Ein Matrose versperrte ihnen den Weg: »Was wollt ihr? Das Schiff ist besetzt.«

Vater zeigte den Schein.

»Passieren lassen«, rief Olbrischt von der Reling her.

Da gab der Matrose den Steg frei. Die Schiffssirene tutete laut und lang. Franz auf Hedwigs Arm erschrak und begann laut zu schreien. Mutter betrat als erste den Landungssteg. Plötzlich drehte sie sich um. Ihre Augen waren dunkel vor Angst.

»Johannes«, keuchte sie, »Johannes, ich will nicht auf das Schiff, ich will nicht! Hörst du!« Sie rannte auf den Kai zurück.

Vater folgte ihr entsetzt, warf sein Bündel zu Boden und umfing sie. Schluchzen schüttelte ihre Schultern, und immer wieder flüsterte sie: »Verzeih mir, Johannes, aber ich kann nicht. Ich kann nicht auf das Schiff.«

Vater schwieg und strich ihr unablässig über den Rükken. Die Kinder standen eng beieinander, verstört und ratlos.

»Na, wie ist es? Wollt ihr nun mit oder nicht?« schrie der Matrose. Doch Vater kümmerte sich nicht um ihn. Da fielen die Trossen. Das Wasser zwischen Kai und Bordwand wurde breiter und breiter.

Erst Wochen später erfuhren Bienmanns, daß die ›Wilhelm Gustloff‹ zum letzten Mal abgelegt hatte. Ein russisches U-Boot griff auf hoher See an. Mit Mann und Maus versank das Schiff.

23

Bald hatten sie die Straße erreicht, auf der der Treck ins Land zog. Fuhrwerk an Fuhrwerk. Keine Lücke. Vater wartete in einer Querstraße. Irgendwann würde er sich schon in die Kette einreihen können.

»He, Otto!« rief er plötzlich und wandte sich zur Mutter zurück: »Da ist dein Vetter Otto Regnitz.«

Der Mann winkte herüber. Vater trieb Lotter an und lenkte das Gespann neben das des Vetters.

»Otto«, bat er, »fahr ein wenig langsamer, damit ich vor dir in die Reihe einbiegen kann. Ich komm' nicht hinein.«

Doch Otto Regnitz wollte ihn nicht verstehen und hielt sich dicht hinter dem Vorderwagen.

»Otto«, sagte die Mutter, »wir kommen nicht in die Reihe. Niemand läßt uns hinein!«

Ihr Vetter winkte ärgerlich mit der Hand ab und blickte nicht mehr zur Seite. Ein Lastwagen hupte hinter ihnen und überholte sie. Die Räder streiften den Wagen.

»He, Bauer, mach dich nicht so breit!« schimpfte der Fahrer und drohte mit der Faust.

Da rief ein Mädchen, ein Kind fast noch: »Warte, Mann, ich fahr' langsamer. Ich lass' dich hinein.«

Sie zügelte zwei magere, schmalrückige Rappen. Eine Lücke tat sich auf. Vater bog ein. Er schob die Mütze hoch und wischte sich den Schweiß von der Stirn. Ein bitteres Lächeln lag um seinen Mund.

»Ist der Vetter ein Wolf?« fragte Albert.

»Ja, Kind. Ein reißender Wolf«, bestätigte die Mutter so laut, daß es bis zu den Nachbarwagen drang. Der Vetter sah sich nicht einmal um.

Ohne Aufenthalt ging es weiter. Die Dunkelheit brach herein.

»Ich habe arge Schmerzen, Johannes«, klagte Mutter leise.

Vater entschloß sich, im nächsten Dorf Rast zu machen. Sie erreichten es gegen zehn Uhr. Links und rechts der Straße hatten Flüchtende ihre Wagen abgestellt. Nur durch die schmale Mitte kroch der Treck. Hinter ihnen hupten Autos, Flüche wurden in die Nacht geschrien. Plötzlich stockte der Zug. Die Dorfstraße war zugestopft mit Wagen, Autos und Pferden. SS drängte sich zu Fuß an den Fuhrwerken vorbei. Befehle gellten und wurden nicht ausgeführt. Vom Wagen vor ihnen klangen Stimmen herüber.

»Es hört sich an, als ob Szakawski, der Briefträger, dabei wäre«, wunderte sich Vater und lauschte. Lauter sprachen die Männer.

»Und den alten Rübsam höre ich auch«, flüsterte Konrad.

»Halt die Zügel«, rief Vater, sprang vom Bock und drängte sich nach vorn. Die Nacht war wie schwarze Tinte. Er tastete sich an der Leiter des Wagens entlang bis an den Bock. Das einzige, was er erkennen konnte, waren ein paar dunkle Schatten.

»He, Szakawski, he, Rübsam!«

»Ja, das ist ja der . . .« rief Szakawski. Doch Rübsam wollte es erraten.

»Es ist der Grumbach aus Liebenberg.« Seine Stimme klang überzeugt und sicher.

Vater lachte, und Szakawski stimmte mit seinem piepsigen Gekicher ein.

»Der Bienmann Johannes ist es«, rief er, »der Bienmann aus Leschinen.«

»Der Bienmann?« Rübsams Stimme klang enttäuscht. »Na, von mir aus der Bienmann.«

Doch dann fiel ihm etwas ein: »Weißt du es schon von dem Artillerietreffer?«

»Was?« Vater fürchtete sich vor der neuen Nachricht.

»Nun, deine Schwiegereltern«, begann Szakawski.

»Sprich leise«, zischelte Vater.

»Dein Schwiegervater stand mit seinem Fuhrwerk auf dem Eis und mußte den Treck vorbeilassen, der die mittlere Spur fuhr. Plötzlich haben die Russen geschossen. Nur eine einzige Salve. Sie schlug mitten auf die Kreuzung ein. Den Wagen deines Schwiegervaters riß eine Granate auseinander.«

Vater dachte an den kleinen gebeugten Mann, der mit siebzig noch jeden Werktag in Feld und Hof bis in die Dunkelheit hinein gearbeitet hatte. Er erinnerte sich ganz deutlich an die Stimme seiner Schwiegermutter, als sie ihm am Hochzeitstag sagte: »Johannes, denk immer daran, daß deine Frau einem schönen, irdenen Krug gleicht. Er ist stark und zerbrechlich zugleich. Sei gut zu ihr.«

Geschrei vorn im Treck wurde laut. »Es geht los.«

»Also, dann weiter. Und auf Wiedersehen!« sagte Vater. Die Hände der Nachbarn fanden sich trotz der Finsternis.

»Na, wer war dort?« wollte Hedwig wissen.

»Ich traf zwei Familien aus unserem Kirchspiel und sprach mit Szakawski und Rübsam. Ihre Stimmen hörte ich, wißt ihr. Aber gesehen, gesehen habe ich sie nicht.«

Das Wagenknäuel entwirrte sich allmählich. Es ging

weiter. Das Morgenlicht stand hinter den Wäldern. Mutter saß zusammengekauert auf der Kiste. Ihr Gesicht spiegelte ihre Schmerzen. Konrad traute sich kaum, zu ihr hinzusehen. Ihre Augen schienen größer als sonst und fast schwarz. Fest hielt sie die Lippen aufeinandergepreßt. Kein Stöhnen, keine Klage schlüpfte ihr über die Zunge.

»Fahr eine kurze Strecke langsamer, Johannes«, bat Mutter mit gepreßter Stimme. »Ich will absteigen und eine Weile nebenherlaufen.« Vater zügelte Lotter. Vorsichtig kletterte sie vom Wagen. Kaum war sie jedoch zehn Minuten am Wegrand gegangen, da trabten die Pferde.

»Vater«, ängstigte sich Konrad. »Mutter schafft es nicht so schnell.«

Vater beugte sich zu ihr und tröstete sie: »Wenn wir auch ein Stückchen vorweg fahren, du holst uns ja wieder ein.«

Mutter nickte. Später blickte sich Konrad nach ihr um. Die Straße bog nach Norden zu ab.

»Ich kann Mutter nicht mehr sehen, Vater.«

Vater versuchte zu bremsen. »Was ist?« schrie es von hinten her. Vater deutete mit dem Daumen zurück und antwortete: »Meine Frau!«

Doch das schien für keinen der Flüchtlinge hinter ihnen ein Grund zu sein, langsamer zu fahren.

»Schließ die Lücke«, schimpften sie. »Drängt ihn doch zur Seite!« forderten einige laut.

Die Straße war schmal. Rechts trennte ein Graben sie vom Wald. Gegenüber streckte sich ein schlammiger Acker. Zur Seite fahren war unmöglich. Es blieb Vater nichts übrig, als das Pferd zu treiben, wenn er nicht mit dem Fuhrwerk in den Graben stürzen oder im schlammigen Acker einsinken wollte.

»So weit ging es noch niemals im Trab«, jammerte Hedwig.

»Konrad muß der Mutter helfen«, entschloß sich Vater. Sorge stand ihm im Gesicht. Konrad sprang ab. Bis an die Knöchel sank er in den Schlamm. Er lief weit zurück, bis er Mutter traf. Sie war abgehetzt und verschwitzt und legte dankbar den Arm über Konrads Schulter.

»Es fällt mir schwer heute«, keuchte sie.

Endlich stockte der Zug. Sie sahen das graue Verdeck ihres Wagens und holten ihn erschöpft ein. Mutter sank auf ihren Platz, kurzatmig und mit rotem Gesicht. Sorglich hüllte Vater sie in eine Decke. Er neigte sich zu ihr, und sie flüsterte ihm ein paar Worte zu.

»Dort gibt es etwas zu essen!« rief Hedwig.

Am Rande eines großen Feldes vor einer Feldscheune stand eine Menschenschlange.

»Brot«, flüsterte das Gerücht.

»Hedwig, Albert, lauft zu und stellt euch an. Sobald ihr Brot bekommen habt, nehmt ihr die Beine in die Hände, folgt dem Zug und holt uns ein.«

»Brot haben«, flennte Franz. Aber noch hatten sie nicht einmal eine Kruste.

Die Geschwister liefen vor und stellten sich an das Ende der Schlange. Das Fuhrwerk fuhr langsam vorbei.

»Gibt es wirklich Brot?« rief Konrad durch die hohle Hand.

»Ja, Brot!« schallte es zurück.

»Brot«, flüsterte Konrad leise. Es kam ihm in den Sinn, welch einen anderen Klang das Wort in den langen Tagen der Flucht erhalten hatte. Konrad hatte stets gleichgültig gesehen, wenn seine Mutter in jedes Brot ein Kreuz ritzte, bevor sie es anschnitt. »Darum also«, murmelte er und sprach noch einmal halblaut: »Brot.«

An einer Weggabelung standen zwei Feldjäger und sperrten die Straße nach Südwesten. Achtlos fuhren sie vorüber. Weder Vater, noch Mutter, noch Konrad ahnten, daß die Feldjäger wenig Dutzend Wagen hinter ihnen den Zug zu teilen begannen, je zwei Wagen nach rechts, je zwei nach links.

Hedwig und Albert hatten vier Brote bekommen, braun, knusprig, warm.

»Nichts abbröckeln, Albert«, tadelte die Schwester. »Denk an die anderen. Die warten auch auf Brot.«

Der Geruch des frischen Brotes stieg Albert so lockend in die Nase, daß er zuweilen ein wenig hinter der Schwester zurückblieb, ein Bröckchen abbrach und in den Mund steckte.

Sie kamen an die Gabelung. Gerade lenkten die Feldjäger die Gespanne nach Südwesten.

»Halt, Albert«, rief Hedwig dem Bruder zu. Sie trat zu den Soldaten.

»Wir suchen Bienmanns Fuhrwerk aus Leschinen.«

Der Feldjäger lachte: »Kind, woher soll ich Bienmanns Fuhrwerk kennen?«

Hedwig erschrak. »Es ist ein Einspänner mit einem braunen Hengst davor.«

»Geh aus dem Weg!« antwortete der Feldjäger ungehalten und lenkte zwei weitere Fahrzeuge nach Westen.

Er blickte sich einen Augenblick um und sah die Kinder ratlos am Wegrand stehen, Tränen und Furcht in den Augen. Er fragte die Vorüberfahrenden: »Kennt ihr Bienmanns aus Leschinen?« Achselzucken war die Antwort. Da gab er den Kindern den Rat: »Lauft schnell diese westliche Straße entlang. Findet ihr sie nicht, dann kehrt ihr hierher zurück.«

Sie rannten los. Angst trieb sie. Albert bekam Seitenstechen und mußte sich bücken: »Lieber Gott«, betete er, »bitte laß uns die Eltern wiederfinden. Ich verspreche dir, ich will nie mehr vom Brot naschen.« Er glaubte wohl, irgendwie hinge das Abbröckeln des Brotes mit der Not zusammen, in der sie sich befanden.

»Wir laufen bis zur Straßenbiegung dort am Waldrand«, keuchte Hedwig. »Sehen wir sie nicht, dann müssen wir zurück.«

»Fuhr der Zweispänner dort nicht hinter uns?« fragte Albert unsicher. Er glaubte die grünliche Emaillebadewanne wiederzuerkennen, die unter dem Wagen baumelte.

»Habt ihr die Bienmanns nicht gesehen?« rief er hinein.

»Wo sollen sie denn sein?« fragte die Frau, die die Pferde lenkte.

»Wir wissen nicht, ob sie an der Gabelung links oder rechts eingebogen sind. Wir haben Brot geholt.«

»Als wir vorbeifuhren, war links die Straße ganz gesperrt«, gab die Frau Auskunft.

»Ich glaube«, sagte Albert voller Hoffnung, »der Karren mit den Rappen war auch hinter uns.«

Hedwig erkannte keinen der Wagen wieder. Sie durchliefen die Biegung und starrten die ganze Wagenreihe entlang.

»Dort, dort sind sie«, schrie Albert außer Atem und deutete nach vorn. Weit vor ihnen, wo die Baumreihen zueinanderrückten, schwankte der Wagen mit dem grauen Verdeck, ihr Wagen.

Die Freude gab ihnen neue Kraft. Bald hatten sie das Fuhrwerk eingeholt. Die Luft jagte ihnen durch die Lungen. Albert schmerzte die Brust, als ob er einen heißen Stein darin trüge. Erst nach einer Weile vermochten sie, von ihrer Not zu erzählen. Vater wurde schweigsam und sprach kein einziges Wort.

Wieder kam eine Weggabelung in Sicht. Der Treck wurde von einem Gefreiten auf den rechten Weg gelenkt. Auf dem Wegweiser der gesperrten Straße stand: Schlawe über Stemmnitz.

Mutter redete leise auf Vater ein. Da scherte er aus und sprach mit dem Feldgrauen.

»Aber ich bitte Sie«, hörte Konrad, »meiner Frau geht es schlecht. Sie kann nicht mehr fahren. Wir müssen sehen, daß wir ein Haus finden. Wir können doch nicht auf der Straße das Kind zur Welt kommen lassen.«

Er habe seine Befehle, versuchte der Gefreite sich zu rechtfertigen. Da stieg die Mutter vom Wagen und setzte sich auf einen Wegstein. Endlich gab der Soldat nach. Allein fuhren Bienmanns jetzt. Sie hatten den Treck verlassen. Vater kutschierte vorsichtig. Eine Stunde später erreichten sie das Dorf Stemmnitz.

»Bürgermeisterei«, stand an einem der ersten Häuser. Vater kletterte vom Bock.

Da trat ein dicklicher Bauer aus der Toreinfahrt des Gehöftes. »Guten Tag«, grüßte er.

Bienmanns waren überrascht. Zum erstenmal seit ihrer Flucht begegnete ihnen ein Fremder freundlich.

»Sind Sie heute die einzigen?« fragte der Bauer.

»Jawohl. Alle anderen fahren weiter nordwärts.« Vater trat zu ihm und erklärte ihm, warum sie allein die Erlaubnis erhalten hatten, auf diesem Weg zu fahren.

»Ich werde Ihnen einen Quartierschein geben«, sagte der Bürgermeister. Nach kurzer Zeit bogen sie durch die dunkle Toreinfahrt eines pommerschen Gehöfts in den Innenhof des Bauernhofes ein, den der Bürgermeister ihnen angewiesen hatte. Die Nachricht ihrer Ankunft war schneller gewesen. Eine blonde, frische Frau kam ihnen entgegen.

»Kommen Sie erst in die Stube«, sagte sie, als sie merkte, daß Vater Lotter abschirren wollte. »Ihr Pferd wird von Ludwig, unserem alten Knecht, versorgt.«

Die Stube blinkte hell und sauber. Die Frau wärmte Milch für sie und schnitt von einem riesigen runden Brot große Scheiben. Butter gab es dazu und Erdbeermarmelade. Zwei Mägde waren auch in die Stube getreten. Eine hatte Hedwig den kleinen Bruder abgenommen und fütterte ihn.

»Für Sie ist das Bett schon bezogen«, sagte die Bäuerin zur Mutter.

»Ein Bett!« Mutter atmete auf. »Aber, bitte, wenn Sie ein wenig warmes Wasser hätten zum Waschen«, bat sie und traute sich nicht, die Augen zu heben. Im Treck hatten sie es hingenommen, daß sie dreckig waren und verlaust. Alle waren so. Aber hier unter den reinlichen Menschen schämten sie sich.

Die Bäuerin gab nicht nur ein wenig Wasser, sondern ließ den Zuber dreimal vollgießen. Nach zwölf Tagen konnten sich Eltern und Kinder endlich wieder waschen. Die Köpfe rieb die Bäuerin den Kindern mit einem weißen Pulver ein. Doch das merkten Franz und Albert schon nicht mehr. Sie waren bereits fest eingeschlafen, als sie in das breite Bett gelegt wurden.

24

Die Schmerzen der Mutter ließen nicht nach. Zweimal
hatte die Hebamme nach ihr gesehen. Das Kind wollte
nicht zur Welt kommen. Die Freundlichkeit der Leute
blieb beständig. Die Bäuerin selbst bat den Bürgermeister, es mit der Vorschrift nicht so genau zu nehmen,
nach der Flüchtlinge nur eine Nacht am Ort bleiben
durften.

Bienmanns waren die letzten gewesen, die ihren Flucht-
weg durch das Dorf suchten. Erst waren die Bewohner
von Stemnitz darüber erstaunt. Bald aber erfuhren sie
den Grund. Die Abschüsse der Kanonen kündigten ihn
an. Dann kam die sichere Nachricht, daß die russischen
Panzer weiter westlich, wahrscheinlich noch hinter
Neustettin, von der Mittelfront bis nach Kolberg zum
Meer hin durchgestoßen waren. Bedrückt bereiteten
sich Bäuerin und Mägde vor, nun selber zu fliehen. Sie
packten Kasten und Koffer und beschlossen, Brot zu
backen, solange dazu noch Zeit war. Vater half. Er zer-
sägte einen ganzen Baumstamm. Viel Holz war nötig, um
den großen Ziegelbackofen richtig zu heizen. Die Mägde
mengten einen Teig aus einem halben Sack Mehl. Als
sie die Brote geformt hatten, war auch die Hitze des
Ofens gut. Die Bäuerin sah das an der weißlichen Fär-
bung, die über die Ziegelsteine kroch. Nun wurde die
helle Holzglut mit einer eisernen Harke aus dem Ofen
gekratzt und die Teigstücke in die wabernde Hitze ge-

schoben. Achtundzwanzig runde Brote, glänzend braun und schwer, konnte Vater nach fast zwei Stunden Backdauer aus der heißen Höhle ziehen und zum Auskühlen auf ein langes Brettergestell legen.

Die Bäuerin gab den Bienmanns sieben Brote ab. »Für jeden eins«, lachte sie dabei.

»Wir sind doch sechs«, wunderte sich Albert.

»Ja, Junge, noch seid ihr sechs. Doch hoffen wir alle, daß es sieben werden, bis die Brote aufgegessen sind.«

Sie hofften vergebens. Am achten Tag erhielt das Dorf den Räumungsbefehl.

Sie betteten Mutter weich. Lotter griff frisch aus. Die Ruhetage hatten ihm gut getan. Der Treck bestand nur aus ein paar Dutzend Wagen und kam schnell voran.

»Jetzt fliehen wir nach Osten«, sagte Hedwig. »Vielleicht kommen wir wieder nach Leschinen?«

»Nach Hause?« Vater winkte müde mit der Hand. Nach Hause! Er glaubte nicht mehr daran. In den ersten Tagen hatte er fest damit gerechnet, daß ihre Flucht nicht lange dauern würde. Aber nun, da die Russen beinahe ungehindert ins deutsche Herzland eindrangen, fand er bitter bestätigt, was Großvater schon vor Jahren gewußt hatte: Der Krieg war verloren.

»Vater«, unterbrach Konrad seine Gedanken. »Lotters Eisen lockert sich.«

»Ja, Konrad. Ich glaubte, es würde noch einige Tage halten. Wir werden im nächsten Dorf zum Schmied gehen.«

Die Straße führte schnurgerade auf ein Dorf zu. Dort, wo die Bäume in der Ferne nur noch einen schmalen Spalt ließen, stach ein spitzer Kirchturm in den Himmel.

»Schnell, weiter!« schrie am Dorfeingang ein älterer Mann, der über seine Anzugsjacke ein Koppel geschnallt hatte und unbeholfen mit einem Sturmgewehr hantierte.

»Ich muß mit dem Pferd zum Schmied«, antwortete Vater.

Der Mann besah sich Lotters Huf und willigte ein. »Das Dorf wird auch bald geräumt. Aber versuchen kannst du es ja.«

»Ihr bleibt hier. Ich bin bald wieder zurück!« sagte Vater. Die Dorfstraße lag leer. Um den kleinen Marktplatz standen Linden. Die Zweige hatten sich bei der warmen Sonne mit einem Schimmer von Grün überzogen. Überall wurde gepackt. Aus der Schmiede klangen noch hell die Hammerschläge. Das Holztor stand weit auf. Die Esse glühte.

Der Schmied, ein starker, kahlköpfiger Mann, erwiderte Vaters Gruß nicht. Statt dessen begann er gleich zu schimpfen: »Keinen Hammerschlag mache ich mehr für euch fremdes Volk. Was habe ich davon?«

Vater verlegte sich aufs Bitten. »Ich habe Eisen und Nägel bei mir«, sagte er. »Sie brauchen das Pferd nur zu beschlagen.« Doch er bat in taube Ohren.

»Was sollen wir denn tun?« rief Vater ratlos.

»Zuerst verlassen Sie jetzt meine Werkstatt«, antwortete der Kahlkopf hart und wies Vater mit dem Finger die Tür.

Müde band Vater Lotter los.

Eine Gruppe Soldaten marschierte über die Straße. Ihre Stiefel knallten auf das Pflaster des Platzes. In ihrer Mitte führten sie sechs Männer ohne Uniform. Unter den Linden ertönte das Kommando: »Abteilung halt!«

Vater wurde aufmerksam. Die Soldaten warfen Stricke über die unteren Äste, sechs dicke, neue Stricke. Der Schmied trat aus dem Tor. Während Vater das Grausen ankam, lachte der Kahlkopf laut: »Ah, Plünderer. Ausländisches Pack. Aufgeknüpft werden sie.«

Vater wandte sich ab und führte Lotter am Halfter. Bevor er den Markt verließ, drehte er sich noch einmal um. Da wiegte der Wind die sechs Männer über der Erde.

»Ausländisches Pack«, hatte der Schmied gesagt. Er mußte an den gefangenen Russen Wassily denken, der beim Krammüller auf dem größten Hof im Nachbarort gearbeitet hatte. Nicht einmal eine Zudecke hatte der Krammüller ihm für den Winter gegeben. »Ausländisches Pack«, das war jedes zweite Wort des Bauern gewesen, wenn er von seinem Gesinde sprach. Vielleicht hatten diese Männer sich nur das geholt, was ihnen harte Herzen zu Unrecht verweigert hatten.

»So schnell hat er das Pferd beschlagen?« wunderte Mutter sich.

»Nichts hat er getan.« Vater sprach laut und bitter. »Für fremdes Pack rührt er keinen Finger.« Aus der Schule trat eine Rotkreuzschwester: »Ihr hättet ihm etwas anbieten sollen, Bauer. Eine Uhr oder einen Ring. Wir kennen unseren Schmied. Wenn er Gold sieht, dann kann er nicht nein sagen. Gold macht ihn mild und andächtig.«

Konrad griff nach seiner kleinen Uhr. »Eine Uhr!« Er nahm Großvaters Geschenk in die Faust. »Die gebe ich niemals her«, dachte er, »niemals.«

Mutter tastete unter ihrem Kleid am Hals und löste den schmalen Verschluß der dünnen Goldkette mit dem Kreuzchen.

»Da, Johannes, gib ihm das.«

»Es ist der einzige Schmuck, den ich dir je schenken konnte, Agnes.«

Sie antwortete nicht. Das Kreuz baumelte zwischen Mutters Fingern an der Kette. »Wie die Männer an den Bäumen«, mußte Vater denken. Er nahm den Schmuck.

Es dauerte nur eine knappe Stunde, bis er mit Lotter wiederkehrte. Kein Eisen klapperte mehr. Sie konnten weiter.

»Wohin sollen wir eigentlich noch fliehen?« fragte Vater den SS-Mann, der neben der Schwester in der Tür stand.

»Wohin, Bauer? Sie stellen dumme Fragen. Weiter geht es. Weiter. Wohin? Das ist doch ganz gleich. Nur weiter.«

So vorsichtig Vater auch kutschieren mochte, er sah es Mutter an, daß ihre Schmerzen wiederkehrten. Die Nacht brach herein. Eine lange Nacht ohne Haus und Herd. Im frühen Licht kamen sie wieder an ein Dorf. Starkow. Der Ort war vollgestopft mit Flüchtlingen. Vater lief von einem Gehöft zum andern. Schon in den Fluren stolperte er über Menschen.

»Platz?« Sie lachten und schimpften.

Vater ließ sich nicht entmutigen. Er stieß eine Tür auf.

»Ist hier ein Platz? Wenigstens für eine Frau?«

»Alles besetzt. Schließ die Tür«, maulten schlaftrunkene Stimmen.

»He, bist du es, Onkel Johannes?«

»Ja«, antwortete Vater. »Johannes Bienmann aus Leschinen.«

Er versuchte im Halbdunkel zu erkennen, wer ihn mit Namen gerufen hatte. Eine Gestalt stelzte über die Schläfer. Ein Mann. Er hatte nur einen Arm.

»Hubertus!« rief Vater.

»Ruhe, zum Teufel, Ruhe!« keifte eine junge Frau.

Hubertus, Vaters Neffe, trat mit ihm in den von Gebäuden umschlossenen Hof. Er schüttelte Vater lange die Hand.

»Was ist mit dir, Onkel Johannes?«

Vater erzählte von Mutters Schmerzen. Hubertus kaute

auf einem Strohhalm.

»Es ist ein ganzes Zimmer im Haus frei«, sagte er leise. »Da haben SS-Leute ihre Sachen untergebracht. Der Bauer hat Angst. Er will dort niemand hineinlassen.«

»Was kann ihm schon geschehen? Wenn die SS es will, können wir das Zimmer wieder räumen, sobald die Männer zurückkommen.«

»Der Bauer ist alt und ängstlich. Ich werde mit ihm reden.« Hubertus verschwand. Es dauerte Vater viel zu lange. Doch endlich trat der Neffe wieder in die Tür und winkte. Vater lief und führte das Gespann in den Hof. Im Stall war kein Platz mehr für Lotter. Er band ihn an einen Eisenring, der in der Wand festgemauert war. Der Hofhund kläffte ein paarmal.

Vater führte Mutter durch den Flur. Hubertus stieß die Tür eines Zimmers weit auf. Ein gepolstertes, langes Sofa gab es sogar in dieser guten Stube. Darauf betteten sie Mutter. Die Kinder wickelten sich in Decken und legten sich auf den Teppich.

»Hast du noch Platz auf deinem Wagen, Onkel?« fragte Hubertus. Er hob nicht den Blick vom Boden.

»Ja, Neffe. Aber was ist mit eurem Gespann?«

»Versunken im Haff, Onkel. Wir wollten, wie verabredet, zu Tante Katharina, genau wie ihr. Feldjäger haben uns den Weg versperrt. Wir mußten weiter. In der nächsten Nacht fuhren wir aufs Eis. Die Strecke war schlecht abgesteckt. Plötzlich brachen wir ein. Erst die hinteren Räder, weißt du. Ganz langsam. Ich sprang zu den Pferden und schrie zu einem Zug Soldaten hinüber, sie möchten doch anfassen und helfen. Doch unsere Not kümmerte sie nicht. Sie zogen weiter. Als das Eis unter den Vorderrädern brach, sprang Maurice ab und reichte Tante Elisabeth die Hand. Doch da rutschte eine Kiste und

154

klemmte ihr das Bein ein. Maurice sprang hinzu, und auch ich ließ die Pferde los. Es war zu spät. Alle versanken. Nur ich ...« Er hob den Armstumpf und ließ ihn kraftlos wieder fallen.

»Du kannst zu uns aufsteigen, Hubertus«, sagte Vater. »Wir haben einen Platz für dich.« Was für Zeiten, dachte er. Meine Schwester Elisabeth im Haff ertrunken, von Thomas aus der Tuchler Heide keine Nachricht, Katharina auf der Flucht. Die ganze Familie auseinandergetrieben. Was für harte Zeiten.

25

Allmählich wurde es laut im Hause. Der Herd in der Küche war umlagert. Blechtöpfe schepperten. Jeder wollte zuerst aus dem großen Emaillekessel kochendes Wasser schöpfen. Noch ehe die Sonne aufging, rumpelte das erste Gespann durch die Toreinfahrt aus dem Hof.

Ein graugrünes Personenauto hupte und bog von der Straße ab. Es hielt dicht vor dem mannshohen Misthaufen, der gerade abgestochen inmitten des Hofes lag. Fünf SS-Leute sprangen heraus. Sie rissen die Tür auf. »Verzeihung«, entschuldigte sich ein schmaler, hochaufgeschossener SS-Mann mit scharfen Zügen. »Wir holen nur unsere Sachen.« Schnell und ohne ein Wort miteinander zu wechseln, nahmen sie ihre Gepäckstücke und trugen sie in das Auto. Einer kehrte noch einmal zurück, steckte den Kopf durch den Türspalt und warnte: »Eben haben sie das Nachbardorf besetzt.«

Das Auto fuhr rund um den Misthaufen und brauste durch die Einfahrt davon. Die letzten Fuhrwerke hetzten hinterher.

»Was machen wir nun?« fragte Vater.

»Ich kann nicht weiter.« Mutter sprach leise. »Wo sollen wir auch hin?«

»Raus kommt ihr doch nicht mehr«, mischte sich der Bauer ein. »Bleibt bei mir, wenn ihr wollt. Der Hof ist groß, und ich bin allein mit meiner Tochter Alma.«

»Was meinst du, Hubertus?« fragte Vater.

»Sie holen uns früher oder später doch ein. Ich bin auch dafür, daß wir hierbleiben.«

»Also bleiben wir.«

»Wenn wir in die Küche gehen, können wir Straße und Hof überblicken«, riet der Bauer. »Es steht ein Bett dort für die Frau.«

Gespannt beobachteten sie die Straße. Einige Dörfler liefen zum Dorfkrug hinüber und kehrten bepackt zurück. Vater trat hinaus. »Was gibt es dort drüben?«

»Dort war ein Lebensmittellager.«

Wenig später sah Vater denselben Bauer noch einmal in das Gasthaus eilen. »Komm, Hubertus, wir wollen sehen, was es dort gibt.«

Sie spähten nach Russen aus, doch Straße und Felder lagen still. Kein Schuß fiel. Am Dorfkrug eilten Kinder und Frauen geschäftig umher. Sie schleppten sich ab mit Büchsen, Flaschen und Säcken.

Durch eine schmale Tür drängten sie sich. Eine wacklige Holzstiege führte in einen fast dunklen Raum. Nur allmählich erkannte Vater Pappkulissen mit spitzgiebligen Häusern und schmalen Gassen, altes Gerümpel, Möbelstücke und einen Vorhang aus grünem Samt. Er trat nach vorn und schlug ihn auseinander. Ein Saal tat sich auf. Dicht unter dem hohen Dach lief eine niedrige Fensterreihe entlang und ließ mattes Licht in den kahlen Raum dringen.

Fassungslos standen die drei und schauten auf ein Durcheinander von Konservendosen, aufgeplatzten Tüten, aus denen Kekse gefallen waren und sich auf dem Boden mit ausgelaufenen Öl und ungemahlenen Körnern vermengten. Säcke lagen aufgeschlitzt, und Mehl quoll heraus, Honigeimer standen auf dem Kopf. Der gelbe, köstliche Strom sickerte zähflüssig auf die schwarzen Bretter. Zucker war zu Haufen aufgeschüttet. Darin wühlten und scharrten an die drei Dutzend Menschen, rafften zusammen, schleuderten auf den Boden, was ihnen nicht gefiel, traten achtlos Brote zur Seite und suchten nach den besten Lebensmitteln.

Vater ergriff einen leeren Zuckersack und sagte zu Alma: »Füll Konserven hinein und Brot und Kekse. Das hält sich.«

Alma half ihm, den Sack auf den Rücken zu heben, und belud sich selbst mit einem halben Sack Zucker.

Hubertus hatte ein festes Holzkistchen neben aufgehäuften Abfällen entdeckt. Er sprengte den Deckel und fand die Kiste mit Weinflaschen gefüllt. Er verschloß sie wieder und trug sie eilends zum Gehöft zurück. Dort bestieg er mit seiner Kiste den Misthaufen und steckte die Flaschen tief hinein.

»Hier wird niemand suchen«, lachte er halblaut.

»Solch ein überflüssiges Zeug«, nörgelte Alma.

Da belferte ein schweres Maschinengewehr ganz in der Nähe.

Sie hockten sich in die Küche. Hubertus bezog Posten an dem Fenster zur Straße hin, und Vater setzte sich an das Hoffenster neben Mutters Bett. Die Sonne sandte ihre Strahlen schräg durch die Scheiben. Sie schnitten scharfe, dünne Kegel in die dämmrige Stube. Staubkörnchen tanzten auf den Sonnenstraßen.

Die Russen kommen! Konrad spürte sein Herz.

»Ob sie uns alle erschießen?« fragte Albert tonlos. Er hielt die Arme gegen seinen Leib gepreßt.

»Unsinn!« antwortete Vater barsch.

»Brennschere hat gesagt...« versuchte Albert einzuwenden, doch Vater schnitt ihm das Wort ab: »Brennschere hat gesagt, die Russen werden nie ihren Fuß auf deutschen Boden setzen.«

»Aber vielleicht verschleppen sie uns nach Sibirien«, sprach Albert nach einer Weile leise.

»Schweig, Albert, schweig bitte!« Hedwigs Stimme klang nach Tränen. Es war ganz still in der Stube. Das hechelnde Atmen des Bauern war zu hören. Ab und zug drang ein Geräusch aus den Ställen herüber, eine Kette klirrte, ein Pferd stampfte. Das Schweigen vermehrte Konrads Angst. »Wenn sie doch endlich kämen«, seufzte er. Alle horchten nach draußen. Mutter hielt den Rosenkranz in Händen. Vaters Lippen bewegten sich lautlos. Konrad versuchte ein Ave, doch brachte er es nicht zu Ende. Immer wieder hetzten seine Gedanken davon, den Russen entgegen.

»Das Warten ist schrecklich«, knurrte Hubertus. Er trommelte mit den Fingern leicht und schnell auf den Fensterrahmen. In die Stille hinein klang plötzlich das wütende Gebell des Hofhundes.

»Sie kommen«, flüsterte der Bauer.

»Da ist einer«, zischelte Konrad und flüchtete zu den Geschwistern. Sie hielten den Atem an. Leichte Tritte schlurften über die Fliesen im Flur. Mit einem Stoß flog die Tür auf. Eine Maschinenpistole wurde hereingeschoben. Es folgte ein schmaler, kleiner Russe in der erdbraunen Uniform. Seine Augen durchforschten flink und ängstlich den Raum.

»Soldat?« fragte er mit kehliger Stimme.

»Kein Soldat«, antwortete Hubertus. »Soldaten sind schon weg.«

Die Mündung der Maschinenpistole zielte gegen den Boden. Der Russe blieb dicht bei der Tür.

»Uhr«, verlangte er barsch.

Sie verstanden ihn nicht. Hubertus zuckte mit den

Schultern.

»Uhr, Uhr«, rief er ungeduldig und hob den Lauf der Waffe. »Tick-tack.« Dabei reckte er seinen linken Arm. Der Ärmel fiel ein wenig zurück, und über seinem Handgelenk wurden zwei Armbanduhren sichtbar.

»Er will eine Uhr«, flüsterte Konrad. Er legte seine Hand schützend über das Uhrtäschchen. Der Bauer löste seine große Taschenuhr von der Kette und hielt sie dem Russen entgegen.

Der trat drei schnelle Schritte vorwärts, nahm die Uhr und hielt sie gegen sein Ohr. Ein Lächeln flog über sein Gesicht, und er nickte beinahe freundlich. Die Beute glitt in die Tasche.

»Frau krank?« fragte er und wies auf Mutter.

Vater nickte. Der Soldat schritt rückwärts zur Tür zurück. Er ließ die Stube und ihre Insassen nicht aus den Augen.

»Wir bekommen ein neues Baby!« sagte Franz laut.

Der Russe verstand ihn nicht, doch lachte er gutmütig, griff in die Tasche und warf Franz ein Zuckerstückchen zu. Der war viel zu unbeholfen, um es aufzufangen. Es kullerte unter das Bett. Franz kroch ihm nach, so daß schließlich nur noch seine Beine zu sehen waren. Der Soldat drehte sich um, doch blickte er über die Schulter zurück, bis er durch die Tür aus dem Haus war.

»Wir sind gut weggekommen«, atmete Alma auf. »Lob den Tag nicht vor dem Abend«, mahnte der Bauer.

»Sie laufen über die Straße«, berichtete Hubertus.

Erst zog eine Gruppe Schützen vorbei, dann folgten zwei leichte Panzer. Konrad trat zu Hubertus und spähte durch eine Spalte zwischen Gardine und Fensterrahmen. Auf dem letzten Panzer hockte ein junger, breitschultriger Mongole mit schrägstehenden Augen. Erschrocken fuhr Konrad zurück.

»Bleib, wo du bist, Junge«, befahl Vater.

»Es biegt einer zum Gehöft ein«, flüsterte Hubertus. Wenig später knallten Stiefel hart auf den Boden. Der hat keine Angst, dachte Konrad. Schon schritt er herein.

»Soldat?« Die gleiche Frage wie vorhin. Konrad nahm seine Uhr fest in die Hand. Die würde er nicht hergeben.

»Kein Soldat«, antwortete Hubertus.

»Bauer, komm, bistra, bistra, schnell, schnell!«

Der Bauer stand auf, langsam, zittrig. Dann sank er wieder auf den Hocker zurück. Der Russe lachte, als er die Angst sah. Nicht lustig klang das, eher zufrieden.

»Du, komm!« rief der Soldat und zeigte auf Vater. Er drehte sich um und schritt voran, ohne abzuwarten, ob sein Befehl befolgt wurde. Vater folgte ihm zögernd.

»Reize ihn nicht und komm zurück«, hauchte Mutter.

Der Russe schritt auf die Ställe zu. Der Hund bellte wütend und riß an der Kette. Ärgerlich zog der Soldat die Pistole. Drei Schüsse feuerte er auf den Hund. Der jaulte auf und schwieg dann. Ohne Umschweife stieß der Soldat die Tür zu den Ställen auf und trat an die Boxen. Sein Blick verriet, daß er etwas von Pferden verstand. Ein paar Sekunden dauerte die Prüfung nur. Dann zeigte er auf Lotter: »Anspannen!«

Vater fuhr ein Stich durch die Brust. »Mein Pferd«, versuchte er einzuwenden. »Bitte, mein Pferd!« Doch der Soldat löste die Kette, schlug Lotter mit der flachen Hand auf den Hals und brummte zufrieden: »Pferd gut, sehr gut.«

Willig ließ Lotter sich in den Hof führen. Der Soldat brachte ihn bis vor den einzigen Einspänner im Hof, bis vor Bienmanns Wagen.

»Anspannen, bistra, bistra, schnell, schnell!«

Vater stand mit hängenden Armen. Er versuchte noch einmal, den Russen umzustimmen, und lief hinter ihm her.

»Es ist mein einziges Pferd, mein einziger Wagen. Wie sollen wir weiterkommen? Meine Frau ist doch krank.«

Vater zeigte zum Wohnhaus hinüber und schlug vor Jammer und Furcht die Hände ineinander.

»Dein?«

»Ja.«

»Du Kapitalist!«

Dann zog er eine feine, goldene Uhr aus der Hosentasche. Die Zeit mochte stimmen. Sie zeigte zehn Minuten nach vier. Der Russe tippte mit seinem kurzen, dicken Finger auf die drei. »Wenn so, dann Wagen leer.«

Vater sah, daß er sich fügen mußte. Er sprang auf den Wagen und begann, alles abzuwerfen. Hubertus trat heraus.

»In fünf Minuten will er fahren«, rief Vater aufgeregt.

Der Neffe half. Immer wieder versuchte Vater, den Soldat zu bewegen, diesen Wagen und dieses Pferd nicht zu nehmen. Doch der hatte sich auf die Bank gesetzt, drehte die Pistole am Abzugsbügel um seinen Finger und antwortete geduldig, aber fest: »Pferd gut, sehr gut!«

Vater jedoch gab sich nicht zufrieden und drang weiter in ihn und klammerte sich an die Hoffnung, der Mann möchte sich erbarmen. Fast hatten sie den Kasten geräumt, und wild türmten sich Kisten und Betten im Hof, da trat Mutter hinzu. Vater sprang ab und bat den Soldaten wieder eindringlich. Er schien außer sich.

»Johannes«, sagte Mutter fest, »Johannes, reiz ihn nicht. Laß ihm das Gespann, ich bitte dich, bleib ruhig.«

Der Soldat schien sich zu besinnen. Er stand auf, schritt auf Vater zu, der gerade den letzten Strang von Lotters

Geschirr einklinkte, und rief: »Du mit!« und zeigte mit der Hand zur offenen Einfahrt hinaus.

Mutter mußte sich an der Mauer halten, so erschrak sie. Der Soldat redete in seiner fremden, kehligen Sprache weiter, doch verstand niemand, was er wollte. Vater sah ihm ins Gesicht. Ein gutes Gesicht, glaubte er plötzlich, trotz all seiner Angst.

»Ich fahre mit, Agnes!« stimmte er zu. »Er will nichts Böses.«

Mutter hatte sich auf die Bank gesetzt. »Allein mit den Kindern, allein mit den Kindern«, anderes konnte sie nicht denken.

Der Soldat nahm die Zügel in die linke Hand und bedeutete Vater aufzusitzen. Es ging zur Einfahrt hinaus, scharf um die Kurve. Der Mann verstand es, mit Pferden umzugehen. Das Dorf blieb zurück. Vaters Zuversicht schmolz dahin. Vor dem Dorf lagerte ein Trupp Soldaten, müde, vom schnellen Vormarsch abgehetzt. Ihre Uniformen waren sauber und gut. Die meisten hatten sich mit dem Rücken an ihre kleinen Panjewagen gelehnt und genossen die letzte Wärme der Abendsonne.

Der Soldat sprang ab. Vater folgte ihm bis zu einem kurzen Leiterwagen, vor den zwei struppige, kleine Panjepferdchen gespannt waren.

»Da hast du!« strahlte der Russe und drückte Vater die Zügel in die Hand.

Vater wagte nicht recht, an seinen neuen Besitz zu glauben, und zeigte erst auf sich und dann auf das Gespann.

»Du haben«, lachte der Russe.

Vaters Füße wurden auf einmal leicht. Er schwang sich auf den Leiterwagen und schnalzte. Die Pferde zogen erst an, als er ihnen mit dem Zügelende eines über den Rücken klatschte. Ihre Rippen standen heraus, und die

Beckenknochen zeichneten sich spitz unter dem Fell ab. »Aber es sind Pferde«, tröstete sich Vater. »Wenn wir erst wieder in Leschinen sind«, sprach er vor sich hin, »dann füttere ich euch heraus. Zwei leichte Pferde sind nicht schlechter als ein schweres. Russenponys sind zäh.«

Kaum war er bis zum ersten Haus gekommen, da griff ihm ein schwarzhaariger Pole in die Zügel, und vier, fünf seiner Kameraden forderten Vater in gebrochenem Deutsch auf, vom Wagen zu springen.

»Ich habe das Gespann eben von einem russischen Soldaten erhalten!« rief Vater.

Doch der Pole fauchte und schimpfte: »Runter vom Wagen!« und gab Vater einen Stoß in die Seite, daß er schleunigst absprang.

Er legte die Hände um den Mund und schrie zu den Soldaten hinüber: »Sie nehmen mir den Wagen, hallo! Hallo!«

Da rannte der Russe herbei, bedrohte die Polen mit seiner Pistole und redete auf sie ein. In ihren Augen blitzte Enttäuschung und Wut auf. Sie duckten sich und schlichen davon.

Vater bedankte sich und schenkte dem Russen eine Schachtel Zigaretten. Dann fuhr er weiter. Doch kaum war er vor dem Gehöft angelangt, da traten die Polen ihm wieder in den Weg. Der Schwarzhaarige trug einen Karabiner. Er sagte nichts, trat an das Gespann, bohrte Vater den Lauf in die Rippen und stieß ihn in den Straßenschmutz. Flink sprangen die Polen auf den Wagen und trieben die Pferde in einen schnellen Trab. Vater hatte sich noch nicht einmal aufgerappelt, da bogen sie bereits um die Ecke und waren verschwunden.

»Zwei Gespanne an einem Tag verlieren, das ist selbst

für den, der nur eins besitzt, ein wenig viel«, knurrte Vater mit Galgenhumor und trat in das Haus.

26

Mit der Sonne zogen auch die Kampftruppen weiter. Die Nacht war unruhig. Panzerketten ließen die Scheiben erzittern. Befehle hallten, Waffen klirrten. Gegen zwei Uhr fielen Schüsse, und Lärm und Grölen schallte vom Dorfkrug herüber. Am Morgen erst trat Stille ein.

Hier und dort trauten sich die Menschen aus ihren Häusern. Erste Berichte eilten von Haus zu Haus. Beim Bauern Vichweg waren vier Tote. Erschossen. Die Magd erzählte, der Bauer habe den Soldaten den Eintritt in die Stube wehren wollen. Wild hätten sie da um sich geschossen. Über die Frauen seien sie hergefallen, über alte und junge. Kaum 13 sei die Tochter des Bauern. Sie sitze nun verstört in einer Ecke und rede kein Wort. Das ganze Haus sei auf den Kopf gestellt worden. Schlimmer als bei den Schweinen sehe es in der Stube aus. Bei Dörten waren zwei Rinder abgestochen worden, doch nur die besten Streifen hatten die Soldaten herausgeschnitten.

»Alles in allem«, gab selbst Vater zu, »sind wir noch gut weggekommen.«

Der Schrecken war vorübergegangen. Doch er kehrte siebenmal stärker wieder ein, als die Besatzungstruppen am nächsten Tag kamen. Sie raubten und plünderten, nahmen sich, was ihnen gefiel, zerschlugen, was sie ärgerte, wühlten nach verborgenen Schätzen, tobten, schossen, schlugen, quälten die Frauen und verschleppten Männer.

Sie trieben es so schlimm, daß Vater sich endlich von Mutter bereden ließ und sich mit Hubertus auf dem Schober hinter Heu und Stroh versteckte. Eine Höhle vor dem Brettergiebel bot Sicherheit. Durch eine Ritze konnten die Männer den Hof überblicken. Nachts kam Alma heimlich, brachte warme Nahrung und blieb bis zum Morgen; denn in den Nächten war es besonders gefährlich.

Das kleine Kind, das immer noch auf sich warten ließ, erwies sich, ungeboren, als der stärkste Schutz für Haus und Hof und Mutter. Viele Soldaten waren wie umgewandelt, wenn sie von dem Kind erfuhren. Einer kramte am zweiten Abend sogar kleine Fotos heraus, zeigte seine Frau und seine drei Kinder, und Tränen glitzerten in seinen wasserhellen Augen. »Weit, weit!« murmelte er.

Am dritten Tag schien ein wenig Ordnung in das Dorf zu kommen. Der Ortskommandant, ein kleiner, giftiger Georgier, stellte zwei Fuhrwerke und Frauengruppen zusammen. Sie mußten unter Bewachung zur sieben Kilometer weit entfernten Grube fahren, um dort feinen, weißen Sand zu holen. Inzwischen säuberte eine andere Gruppe von etwa dreißig Frauen die Straße auf sein Geheiß. Mit langen Reisigbesen fegten sie leere Konservendosen, Bettfedern, überfahrene Hühner, zerschlagenes Porzellan, kurz alles zusammen, was in diesen Tagen aus den Häusern geworfen worden war. Dann kam der Befehl, daß nun die Straßen säuberlich mit dem weißen Sand zu streuen seien. Die Frauen lachten ein wenig. Der Kommandant schimpfte: »Nix Kultura!«

Die Besatzung schien sich für längere Zeit einzurichten. Alma berichtete den Männern, daß die Russen drei Häuser bezogen hätten, und wie sie die Kultur pflegten.

»Wir können uns nicht ewig hier versteckt halten«, sagte Vater. »Wir werden morgen herauskommen.«

»Was werden sie mit euch anfangen?« jammerte Alma. Hubertus tröstete sie: »Vielleicht lassen sie uns in Frieden. Doch wenn sie uns später finden, dann glauben sie gewiß, daß wir Soldaten gewesen und in Zivilkleidern zurückgekehrt seien.«

»Dann schleppen sie uns erst recht fort«, fügte Vater hinzu.

Die Nacht verbrachten sie noch im sicheren Schober.

Doch als am Morgen der erste Russe in die Stube trat und Alma zur Kulturarbeit befehlen wollte, da saßen die Männer um den Herd.

»He, Soldat?« fragte der Russe mißtrauisch. Doch statt einer Antwort hielt ihm Hubertus den Armstumpf entgegen.

Der Russe schien zu überlegen. Plötzlich wollte er vom Vater wissen: »Du Bauer?«

Vater nickte.

»Komm mit, bistra, schnell!« Als Mutter aufweinte, drehte er sich um und rief zurück: »Kommt wieder, bestimmt!«

Hubertus folgte unaufgefordert. Auf den größten Hof von Starkow wurden sie gebracht. Der Russe verhandelte mit einem grobschlächtigen Korporal, der mit aufgekrempelten Hemdsärmeln in der Tür stand. Dann winkte er die Männer heran.

»Versteht ihr was von Pferden?« fragte der Korporal. Sein Deutsch war fehlerfrei, nur ein wenig kehlig.

»Ich habe Pferde gezüchtet«, sagte Vater.

»Gut. Kommt in den Stall.«

Statt der Kühe stand hier Pferd neben Pferd.

»Alle krank«, erklärte der Korporal. Er zeigte auf einen

mageren Apfelschimmel: »Der lahmt und ist abgehetzt. Er wird krepieren.« Und von einem kleinen Fuchs, der daneben stand und den Kopf tief hängen ließ, sagte er: »Sieh dir den an. Er ist ganz heruntergekommen.« So ging es von einem zum andern.

»Es sind dreiundvierzig Pferde«, sagte der Korporal, doch dann verbesserte er sich: »Zweiundvierzig sind es.« Er trat zum hinteren Ausgang des Stalles. Dort stand an einen Baum gelehnt eine hohe Rappstute, matt, zu Tode erschöpft, zu einem Skelett abgemagert. Groß und voll dumpfen Schmerzes stierten die pechschwarzen Augen des Tieres.

»Wasser!« rief Vater und trug einen Eimer aus dem Stall herbei. Der Rappe weigerte sich zu trinken.

Der Korporal zog einen Revolver aus der Ledertasche, entsicherte ihn und gab dem Tier den Fangschuß hinter das Ohr. Das Pferd zitterte wie unter einem kalten Wind, brach zusammen und rührte sich nicht mehr.

»Vergraben!« knurrte der Korporal und zeigte auf die Wiese, auf der frische Erdhügel aufgeworfen lagen. Gescheckte Nebelkrähen kratzten in der Erde und krächzten zuweilen.

Mittags erhielten die neuen Stallknechte eine dicke Suppe und eine Scheibe dunkles Brot.

»Der Apfelschimmel ist der nächste, der krepiert«, sagte der Korporal. Hubertus dachte, um das zu sehen, braucht es keinen Propheten. »Ich kriege ihn durch«, widersprach Vater. Doch der Korporal lachte nur. Nach der Abendfütterung durften sie endlich nach Hause gehen.

In der Nacht wurde Vater von der Mutter geweckt. Sie hatte starke Schmerzen.

Gegen Morgen fragte er: »Gibt es keine Hebamme rundum?«

»Doch«, antwortete Alma, »drei Kilometer von hier im nächsten Dorf.«

»Aber wer geht dorthin?« fragte Vater, ohne aufzusehen. Alma trat hinaus. Der alte Bauer schwieg.

»Wir müssen zu den Pferden«, drängte Hubertus.

Vater ließ Mutter schweren Herzens zurück, Konrad lief mit. Der Korporal war heute kurz angebunden und trieb die Männer zur Arbeit. Der Stall mußte gründlich ausgemistet werden, die Pferde wurden gestriegelt, die Tröge ausgewischt.

Gegen Mittag fuhr ein Auto in den Hof. Ein dicker Offizier mit fleischigem, blassem Gesicht kletterte heraus. Ihm folgten vier Soldaten.

»Der Tierarzt«, erklärte der Korporal und stand stramm. Wortlos beschaute der Arzt jedes einzelne Pferd, blickte einem Wallach unter das Augenlid und einigen Tieren ins Maul. Fünfzehn suchte er aus und wechselte ein paar Worte mit dem Korporal. Er schien zufrieden zu sein, denn er nahm seinen Tabaksbeutel heraus und bot dem Korporal grobkörnigen Machorka an. Mit flinken Fingern riß dieser ein Stück Zeitung ab und drehte sich geschickt eine dicke Zigarette, beleckte kräftig das Papier und suchte nach Feuer. Hubertus gab ihm ein Streichholz.

Der Tierarzt blieb auf dem Rückweg bei dem Apfelschimmel stehen, wiegte den Kopf und fuhr mit der flachen Hand an der Kehle vorbei. Da lachte der Korporal, erklärte etwas und zeigte auf Vater. Der Tierarzt zuckte die Schultern und verließ den Stall.

»Er war mit mir zufrieden«, freute sich der Korporal. »Morgen kommen neue Pferde.«

Da getraute sich Vater, ihn zu fragen, ob er nicht ins Nachbardorf zur Hebamme gehen dürfe.

»Zwei müssen hierbleiben.«

»Ich bin ja da«, sagte Konrad.

»Gut. Du kannst gehen. Warte, ich schreib' dir einen Passierschein.«

Eine halbe Stunde später klopfte Vater bei der Hebamme. Doch sie wollte nicht mit. Als Vater ihr das Papier mit der russischen Schrift und dem Stempel zeigte, willigte sie schließlich ein. Doch er mußte versprechen, sie wieder zurückzubringen. Ungehindert kamen sie nach Starkow. Mutter hatte weniger Schmerzen, und die Frau meinte, ein paar Tage könnte es wohl noch dauern.

Zur Abendfütterung war Vater wieder im Stall. Dem Apfelschimmel schien es ein wenig besserzugehen. Er fraß von der Kleie und knabberte am Heu.

Am nächsten Morgen jedoch empfing ihn der Korporal gleich: »Dein Gaul steht vor der Grube. Kolik.«

Vater rannte durch den Stall. Das Pferd hatte einen dicken Leib und atmete kurz. Es stand dort, wo vor Tagen die Rappstute zusammengebrochen war. Der Korporal folgte und hatte den Revolver schon in der Hand.

»Konrad«, sagte der Vater. »Führ das Pferd am Halfter über die Wiese. Nicht zu langsam.«

Konrad zog den Apfelschimmel hinter sich her. Der Korporal grinste und schlug mit der Hand geringschätzig in den Wind. Sobald Vater Zeit hatte, löste er Konrad ab. Stunde um Stunde lief das Pferd rundum. Im Gras stampfte sich ein Pfad ein. Am Abend war der Leib noch ebenso geschwollen wie am Morgen. Aber er war nicht dicker geworden. Hubertus, der in der Frühe Vater insgeheim für einen Narren gehalten hatte, erklärte sich nun bereit, das Pferd bis Mitternacht zu bewegen.

»Dann kommen wir wieder«, sagte Konrad, der vom Laufen todmüde war.

Als Hubertus gegen sieben Uhr am frühen Morgen wiederkehrte, war das Wunder geschehen: Der Apfelschimmel war munter, die Schwellung war verschwunden. Vater gab ihm trockenes Futter. Er fraß begierig. Da schlug der Korporal Vater auf die Schulter und brüllte: »Donnerwetter!« Und das war ein großes Lob.

Pferde wurden in den nächsten Tagen geholt und Klepper gebracht. Vierzehn Tage ging es schon so. Die Russen setzten ihre Kulturarbeit fort, waren heute gutmütig und spielten mit den Kindern, morgen zornig und voller Heimweh.

Gründonnerstag gegen sechs Uhr klopfte es an die Tür, und ein fremder Mann trat ein. Er war in Lumpen gekleidet. Den rechten Schuh hatte er mit Draht umwickelt. Er sagte: »Grüß Gott.« Ohne auf Antwort zu warten, fuhr er fort: »Es gibt hier Katholiken. Wollt ihr die Sakramente empfangen?«

»Ein Priester«, sagte Mutter froh, »ein Priester.«

In den Nachbarhäusern lud Konrad die Katholiken zur Meßfeier ein. Ein Pfarrer sei da. Im Kuhstall hörte der Pfarrer die Beichte, während Hedwig am Tor stand und achtgab, ob sich ein Soldat näherte. Im Schober hatte Vater einen Tisch mit einem weißen Tuch gedeckt und in die Hälse zweier Sprudelwasserflaschen kleine Kerzen gesteckt, die Alma bereitwillig gegeben hatte. Ein Sterbekreuz brachte eine alte Bäuerin mit. Weil am Gründonnerstag noch alle Kreuze verhängt sind, band Vater ein Tuch darüber.

Konrad hatte am Tag zuvor in der Wiese hinterm Haus ein paar lilafarbene Krokusse entdeckt. Er grub sie sorgsam mit der Zwiebel aus und pflanzte sie in kleine Konservendosen.

Die Messe begann. »Der Herr sei uns gnädig und segne

uns. Er lasse sein Angesicht über uns leuchten«, betete der Pfarrer zum Eingang. Alma hielt Wache. Sie hatte sich angeboten und gesagt, sie sei, wie alle im Ort, evangelisch, wolle aber diesen Dienst gern übernehmen.

»Die Rechte des Herrn wirket Wunder. Ich sterbe nicht, ich werde leben«, klang es leise vom Altar her. Lange hielt der Pfarrer bei der Wandlung die Hostie hoch und den Kelch, einen verbeulten kleinen Pokal, wohl ehemals ein Ehrenpreis für einen guten Schützen. Kein Lied sangen sie, kein Gebet wagten sie laut zu sprechen. Nach dem letzten Gebet versteckte Vater Kreuz und Kerzen. Die Leute setzten sich im Kreis in das Stroh, und der Pfarrer schlug das Kreuz und begann die Predigt.

»Eine bittere Karwoche sind für uns alle diese Tage des Leidens und der Prüfung. Tränen wurden gesät, Gewalt herrscht schlimmer als zuvor, das Volk wird gegeißelt, verspottet, ins Gesicht geschlagen, getreten, angespien und getötet. Darin gleicht es dem Herrn. Doch trafen ihn Drangsal und Gewalt, Marter und Todesnot ohne Schuld. Schlugen wir ihn nicht durch unsere Sünden, geißelten wir ihn nicht mit der Feigheit unseres Schweigens, krönten wir ihn nicht mit den spitzen Dornen der Menschenfurcht, schlugen wir ihn nicht mit ans Kreuz und trieben die Schmiedenägel der Mitschuld durch seine Gelenke? Der Zorn des Herrn hat uns getroffen. Doch der Herr selbst zeigt uns den Weg, das Leid anzunehmen und die Straße des Todes in eine Straße des Lebens zu verwandeln.«

Die Tür wurde aufgerissen.

»Der Kommandant!« rief Alma laut. Da eilte er bereits über den Hof und trat in den Schober. Der Pfarrer erhob seine Stimme und sprach weiter: »Hat er nicht selbst seinem Verräter an diesem Tag, an dem er uns sein Fleisch und Blut zur Speise gab, die Füße gewaschen wie ein Knecht?« Der Kommandant stand unschlüssig in der Tür. Sechs, sieben Russen drängten sich hinter ihm. »Wenn nun euer Herr und Meister euch wie ein Knecht dienstbar war, so tuet auch ihr, wie er für euch getan hat. Amen!«

»Ende!« sagte der Kommandant spöttisch. Der Korporal übersetzte, was aus dem Mund des Offiziers hervorsprudelte. Versammlungen seien verboten. Die Sowjetunion schütze zwar die Freiheit der Religion. Aber Versammlungen seien nun einmal verboten. Komme so etwas noch einmal vor, dann ... Er spielte mit der Pistole. Ein Soldat drängte sich vor, riß das weiße Tuch vom Tisch, der eben noch der Tisch des Herrn gewesen war, und trat mit den Stiefeln darauf. Konrad sah seine Krokusse auf dem Boden liegen und dachte daran, daß auch im Kirchdorf daheim am Gründonnerstag die Altäre entkleidet und all ihres Schmuckes beraubt worden waren.

»Du kommst mit«, übersetzte der Korporal, und der Kommandant wies auf den Pfarrer. Zwischen zwei Soldaten schritt er. Er war gekommen, keiner hatte ihn gekannt, er wurde weggeführt, niemals hörte jemand vom Dorf mehr, als daß er unter Bewachung aus dem Ort gebracht worden war. Die Menschen, die aus seinem Wort und aus der Messe Trost empfangen hatten, schlichen bedrückt davon.

»Eine bittere Karwoche«, flüsterte Mutter.

Albert hielt Nikolai auf dem Schoß, der den ganzen Tag nichts fressen wollte, obwohl Albert ihm eine Handvoll frischer Löwenzahnblätter gestochen hatte. Zuweilen streichelte der Junge sein Tier. Nikolai regte sich nicht.

Am Karfreitag wußte Mutter, daß ihr Kind geboren werden würde. Vater bekam am Nachmittag die Erlaubnis, zur Hebamme zu gehen. Doch er fand sie zwischen Koffern und Säcken.

»Wir müssen morgen früh das Dorf räumen«, klagte sie. »Ich muß nun für mich selbst sorgen.« Sie ließ sich nicht bewegen mitzugehen. So lief Vater bedrückt allein zurück.

Es regnete leicht. Kalter Wind wehte vom Meer her. Vaters Herz klopfte hart. Er trat in den Flur. Alma öffnete die Stubentür und trug ein Becken, in dem heißes Wasser dampfte. Vater hörte das quäkende Geschrei eines Säuglings.

»Alma, was ist das?«

»Ein Mädchen, Bauer, ein gesundes Mädchen ist vor einer halben Stunde geboren!«

Konrad sah, wie Vater hereintrat. Tränen rannen ihm aus den Augen und tropften auf die Jacke. Vater weinte! Konrad sah das zum erstenmal. Vater trat zur Mutter und faßte ihre Hand. Sie lächelte glücklich, schlug die Decke ein wenig zurück und zeigte dem Mann das winzige, krebsrote Menschenkind.

»Schwarze Haare!« sagte Vater. »Und groß und dick.«

»Ja«, flüsterte Mutter, »ein schönes Kind.«

»Eigentlich wollten Thomas und Grete die Taufpaten sein. Wo mag der Krieg sie hingetrieben haben?« sagte Vater.

Am Abend taufte Vater das Kind und gab ihm den Namen Elisabeth. Hedwig und Hubertus waren an die Stelle der Bienmanns aus der Tuchler Heide getreten und durften die Paten sein.

Da erinnerte sich Hubertus an den Wein, den er im Misthaufen versteckt hielt. Er rannte, um ein paar Flaschen zu holen. Dem alten Bauer lief das Wasser im Mund zusammen. Doch mit verdrießlichem Gesicht und zwei leeren Flaschen kehrte Hubertus zurück.

»Die Flaschen sind alle leer. Die Wärme des Mistes hat die Pfropfen herausgesprengt.«

»Wie gut, daß wir den Zucker genommen haben«, sagte Alma. Schadenfreude klang durch ihre Stimme.

»Weißt du eigentlich, Alma, daß man aus Zucker einen guten Schnaps brennen kann?« fragte der Bauer.

»Mit der Bratpfanne in der Hand werde ich den Zucker verteidigen«, rief Alma. »Soweit kommt das noch, daß ihr Saufköppe meinen Zucker für Schnaps verbraucht.«

27

Der Karsamstag begann mit einer schlimmen Nachricht. Es hieß, daß bis zum Nachmittag das Dorf geräumt sein müßte. Vater, Konrad und Hubertus gingen wie gewöhnlich zur Pferdepflege. Der Tierarzt wollte an diesem Tag kommen. Der Korporal war wie stets vor solchem Besuch reizbar und launisch.

Trotzdem fragte Vater ihn: »Ist es wahr, Korporal, daß wir den Ort verlassen müssen?«

»Wird schon so sein«, war die brummige Antwort.

Gegen zehn bemerkte Vater eine große Unruhe in den Nachbarhäusern.

»Korporal«, bat er, »du weißt, daß uns gestern ein Kind geboren wurde.«

»Was geht das mich an?«

»Ich habe keinen Wagen mehr, kein Pferd.«

»Um vier Uhr muß das Dorf leer sein. Was kann ich tun? Ich bin Korporal, nicht Kommandant!«

»Soll ich zum Kommandanten laufen?«

»Mach, was du willst.«

Vater verließ den Stall und eilte zu dem Gehöft, in dem die Soldaten und der Kommandant sich niedergelassen hatten. Konrad sah, wie aufgeregt und entschlossen Vater war, und folgte ihm von fern. Auf einmal trat Albert hinter einer Hecke hervor. Er trug irgend etwas unter seiner Jacke, behutsam wie eine Glasschüssel.

»Albert!«

Der Junge schaute erschrocken auf.

»Wohin willst du?«

»Ich habe Nikolai bei mir, Konrad. Schau ihn dir an; er will immer noch keinen Bissen fressen.« Albert warf einen scheuen Blick in die Runde. Er hütete seinen Nikolai ängstlich.

Albert schlug die Jacke zurück. »Die Augen«, klagte Albert. »Sieh dir die Augen an.«

Nikolais durchsichtige rote Iris blickte stumpf wie brakkiges Wasser. Die Lider waren verklebt.

»Was willst du hier mit Nikolai?«

»Ich gehe zu den Pferden. Der Tierarzt muß doch kommen.«

»Der Tierarzt ist ein hochnäsiger Offizier, Albert.«

»Meinen Nikolai muß er heilen, verstehst du?« Albert schlug die Jacke trotzig über das Tier und lief zu der Pferdestation.

Konrad eilte Vater nach, der gerade in der Kommandantur verschwand. Der Posten hatte sich gegen die gekalkte Wand in die Sonne gestellt und träumte. Er ließ Konrad ungehindert in den Hof. Der Wagen mit dem Tierarzt brummte die Dorfstraße hinauf. Die Tür zum Zimmer des Kommandanten stand eine Spanne weit auf. Der Junge sah die Ecke des blanken Tisches und unter dem Tisch eine Emailleschüssel. Da hinein hatte der Kommandant seine Füße gestellt. Vater trug mit leiser Stimme seine Bitte vor. Der Dolmetscher übersetzte Satz für Satz. Der Fuß hob sich aus der Schüssel. Er war krebsrot. Ein-, zweimal schlenkerte ihn der Kommandant, wickelte ihn in einen weißen Lappen und stöhnte behaglich dabei. Vater schwieg. Lappen und Fuß verschwanden in einem glänzenden, weichen Stiefel. Der Kommandant ließ Vater warten. Dann sprach er ein paar Sätze. Der

Dolmetscher übertrug sie in schlechtes Deutsch. Die Faschisten und Militaristen hätten ihm, dem Kommandanten, in Kiew die Frau und zwei Kinder getötet.

»Ich war nie Faschist und nie Militarist, ich war nie in Rußland«, beteuerte Vater.

»Du Kapitalist!« radebrechte der Kommandant selber. »Du Pferd, Wagen, Hof.«

»Ein einziges Pferd«, wandte Vater ein.

»Ein Pferd ist Kapitalist.« Er fügte in seiner Sprache noch etwas hinzu. Die Stimme des Dolmetschers klang gleichgültig und eintönig.

»Frau tot, zwei Kinder tot. Du gehen, bistra.«

Der Kommandant wickelte seinen anderen Fuß in einen Lappen. Er schaute nicht einmal auf, als Vater langsam die Stube verließ.

»Das ist ihr Tod«, flüsterte er und schien sich nicht zu wundern, daß Konrad auch da war. »Das ist bestimmt ihr Tod.«

Die Sonne schien ihm ins Gesicht. Konrad blickte ihn an. Er hatte die Augen nicht zusammengezogen und spürte nicht das ätzende Licht. Sie traten auf die Straße und blieben unschlüssig stehen.

Plötzlich lehnte sich der Dolmetscher in das Fenster und schrie: »He, Bienmann! Kommandant schreibt Schein. Du kannst bleiben.«

»Einen Schein! Junge, hörst du? Einen Schein!«

Er rannte zurück. Noch ehe Konrad das Haus erreicht hatte, trat er heraus und faltete einen weißen Zettel. Sein Schritt war wieder voll Kraft. »Laß uns zu den Pferden gehen, Junge. Ich habe das Auto des Tierarztes gehört.«

Sie fanden Albert weinend vor dem Gehöft. Er schluchzte und gab auf keine Frage eine Antwort.

»Bienmann!« schrie der Korporal. Konrad blieb bei Albert und kniete neben dem Bruder. Doch Albert stieß ihn weg und preßte seine Fäuste gegen die Augen. Ein Automotor wurde angelassen, der Tierarzt fuhr wieder fort. Vater und Hubertus traten zu Albert. »Der Korporal hat ihm Nikolai fortgenommen«, erklärte Hubertus. »Fortgenommen?« jammerte Albert. »An den Hinterläufen hat der Nikolai gepackt, mit dem Kopf dort auf den Stein geschlagen, und in den Mist geworfen hat er meinen Nikolai.«

Albert erstickte sein Weinen mit den Händen.

»Erschlagen. Meinen Nikolai.«

»Warum?« fragte Vater. Hubertus zuckte die Achseln.

»Warum? Er war wütend, weil der Arzt noch nicht da war. Das war alles.«

Vater beugte sich zu Albert und versuchte, ihn zu trösten: »Ich werde dir ein neues Karnickel schenken, Albert, ein schneeweißes.«

»Erschlagen«, weinte Albert. Er schien Vater gar nicht zu hören.

»Es ist aus mit der Station.« Sie erschraken, weil der Korporal plötzlich hinter ihnen stand. »Die Station wird heute aufgelöst. Die Tiere sind gesund. Der Tierarzt ist zufrieden.« Der Korporal spitzte die dicken Lippen und pfiff eine kurze Melodie.

»He, warum heulst du?« fragte er und stieß Albert mit dem Stiefel.

Warum sagt Vater ihm nicht, was er für ein Schuft ist? dachte Konrad. Vater ballte die Fäuste in der Tasche und drehte sich um.

»Ach, Bienmann«, sagte der Korporal, »ihr könnt jetzt nach Hause gehen. Ich brauche euch nicht mehr.«

»Ja, Korporal.«

180

»Kennst du deinen Apfelschimmel noch, Bienmann?«

»Ja, Korporal.«

»Den du gesund gemacht hast?«

»Ja, Korporal.«

»Nimm ihn mit.«

»Ja ... Was?«

»Nun, den Apfelschimmel. Ich schenke ihn dir.«

Konrad blickte den Korporal an. Wollte er Vater quälen?
Doch Vater schien zu glauben, was der Korporal sagte.

»Hubertus. Ein Pferd! Los, wir holen es.«

Sie rannten in den Stall. Wenig später führte der Vater
den großen Wallach heraus. Er war mager. Aber sein
Auge blitzte. Mißtrauisch blickten sie sich um. Würde
der Korporal sie zurückrufen? Doch er stand in der Toreinfahrt und winkte.

»Vater«, sagte Albert. Er schluckte die Tränen hinunter.

»Ja, Albert.«

»Hat das Pferd einen Namen?«

»Ja, Junge.«

»So?« Albert schien enttäuscht.

»Es heißt Nikolai«, lächelte verschmitzt der Vater.

Da schien die Sonne wieder in Alberts Gesicht.

»Warum sind die großen Leute einmal so und einmal
so?« grübelte Konrad. »Erst erschlägt er Alberts Nikolai,
dann verschenkt er ein ganzes Pferd.« Konrad schaute
noch einmal zurück. Da stand der Korporal, breit, stier-
nackig, und winkte und lachte.

28

Um fünf Uhr lag das Dorf menschenleer. Selbst die Russen schienen ausgeflogen. Den Bienmanns war nicht mehr wohl in ihrer Stube. Alma und der Bauer hatten bei einem Nachbarn auf dem Fuhrwerk aufsitzen dürfen. »Wir brauchen einen Wagen«, sagte der Vater. »Auf der Straße vor dem Ort, da fänden wir wohl einen.«

»Soll ich gehen?« fragte Hubertus.

»Bitte, Hubertus. Ich möchte, daß Johannes hierbleibt.« Mutter war blaß und schwach. Sie brachte es kaum fertig, das Kind in die Windelfetzen zu schlagen, die Alma ihr aus alten Hemden gerissen hatte.

»Ich gehe mit«, bot sich Konrad an.

Niemand widersprach. Sie gingen schnell durch das tote Dorf und dämpften unwillkürlich ihre Schritte. Plötzlich zog Hubertus den Jungen vom Weg hinter einen Schober. Die Russen kehrten zurück. Konrad lugte durch einen schmalen Spalt nach ihnen aus. Sie waren mit Beute beladen. Einer schlug einer Flasche den Hals ab und ließ sie kreisen. Sie lärmten und lachten. »Sie haben die Fuhrwerke vor dem Dorf erwartet und ausgeräubert«, sagte Hubertus. »Die Leute hatten ihre besten Sachen aufgeladen. Darauf haben sie gewartet.«

Sie schlichen um den Schober herum und schritten durch eine Wiese der Landstraße zu. Da lagen Wagen umgestürzt, Federn, überall Bettfedern, die aus aufgeschlitzten Oberbetten gequollen waren. Kleider bedeckten die Straße, zertretene Koffer, aufgesprengte Kisten, zerbeulte Wannen. Leinenballen waren über die Straße hin ausgerollt und von dreckigen Stiefelschritten beschmutzt und in den Staub getreten.

Von den Dörflern selbst war niemand mehr zu sehen.

»Du warst doch Soldat, Hubertus. Habt ihr es auch so getrieben?«

»Man kann Unrecht nicht gegen Unrecht wägen, Konrad.« Hubertus dachte daran, daß er in Lille einmal gesehen hatte, wie Soldaten eine Wohnung ausräumten und die Möbel einfach durchs Fenster auf die Straße warfen.

»Sind Soldaten alle so?« bohrte Konrad weiter.

»Die Menschen sind verschieden. Auch die Soldaten. Aber in vielen hat der Krieg ein Biest geweckt, das lange schlief.«

Sie zogen ein Wagengestell aus dem Graben. Die Deichsel war in Ordnung. Das linke Vorderrad lag zerbrochen im Gras. Sie suchten lange, ehe sie ein halbwegs passendes Rad an einem anderen Wagen fanden. Die Nabe war ein wenig zu groß, doch es lief. Konrad faßte die Deichsel, und Hubertus schob. Ohne Mühe bewegten sie das Gestell. Wüstes Geschrei schallte vom Haus der Russen herüber. »Sie feiern Abschied«, vermutete Konrad.

Im Gehöft wartete Vater mit Ungeduld. »Mein Schein ist zerrissen«, empfing er sie. »Morgen um zehn Uhr müssen wir das Dorf verlassen haben. Der Kommandant hat den Dolmetscher vor einer Viertelstunde geschickt.«

»Morgen ist Ostern«, sagte Hedwig.

Vater besah sich das Rädergestell. Bis in die späte Nacht arbeiteten sie. Große Mühe wandten sie auf das Pferdegeschirr. Aus Draht und alten Stricken knotete Vater es zurecht. Außerdem hatte das Wagengestell weder Rungen noch Leitern, noch Boden. So mußten es zwei lange

Bretter tun. Hubertus berichtete von der Plünderung. Vater entschloß sich daraufhin, die notwendigen Dinge in eine flache Kiste zu packen und unter das Brett des Wagens zu binden. Auf die Bretter schnürte der Vater einen Strohsack, auf den Mutter sich am Morgen legen sollte.

Es war spät nach Mitternacht, als sie endlich das Abendgebet sprachen und um Gottes Schutz für die Fahrt baten.

Leise pochte es an die Scheiben. Hedwig erwachte davon, als das graue Licht des Ostertages eben in die Stube fiel. Regen. Sie sprang auf bloßen Füßen ans Fenster. Wie ein dichter Vorhang fiel der Regen. Die Straße war mit Pfützen überdeckt. Die Tropfen warfen dicke Blasen, und die folgenden zerstörten sie wieder. Konrad trat neben die Schwester.

»Hoffentlich wird das Wetter Mutter und Elisabeth nicht schaden.«

Die Schwester spürte die Morgenkälte und zog sich warm an. Vater starrte über eine Stunde aus dem Fenster. Um halb zehn schlug er den Mantelkragen hoch und lief noch einmal zum Kommandanten. Doch der schlief seinen Rausch aus. Der Dolmetscher hatte gedroht, daß alle, die in einer halben Stunde noch im Ort seien, erschossen würden. Da legten sie Mutter und das Kindchen auf den Strohsack, breiteten zwei graue Decken über sie und versuchten eine löchrige Plane darüber zu binden, damit der Regen wenigstens ein wenig abgehalten würde. Franz setzte sich vorn auf das Brett. Vater schnürte ihn mit einem Riemen fest, damit er nicht herunterfallen konnte. Ihn allein schien der Regen zu freuen. Er hielt ihm sein Gesicht entgegen und lachte: »Der Regen kitzelt meine Nase.« Dann spannte Vater

Nikolai ein. Doch der ging nur widerstrebend ins Geschirr. Als Vater ihn anziehen ließ und er die Last spürte, ging er hoch und schoß voran. Nur mit Mühe bändig-
te Vater den Wallach.

Mutter versuchte sich aufzurichten. Doch die Plane hinderte sie daran. Hubertus sprang Vater zu Hilfe.

»Er ist noch nie im Geschirr gewesen«, vermutete Vater.

»Ein Reitpferd wahrscheinlich.«

Sie führten das Tier vorsichtig. Es versuchte auszubre-
chen. Doch die Männer gaben acht. Allmählich fügte es
sich in sein Joch. Der Regen platschte in dicken Tropfen,
immerzu. Mutters Haare hingen strähnig und lang herab. Tropfen rollten daran herunter und fielen in schneller Folge auf die Erde. Albert ging neben dem Wagen
und hielt ein Pappstück über ihren Kopf. Sie lächelte
ihm zu.

»Setz dich zu mir«, sagte sie. Da sprang er auf das Brett.

»Heute ist Ostern«, sagte Hedwig.

»Komm einmal her«, forderte Hubertus sie auf. Er faßte
in die Tasche und zog erst zwei und dann noch einmal
zwei Eier hervor. Sie waren mit Zwiebelschalen ge-
bräunt und mit Nadelritzen schön verziert.

»Für jedes Kind eins«, sagte Hubertus. Hedwig verteilte
sie.

»Was steht bei dir auf der Schale?« fragte Albert.

»Christ ist wahrhaft auferstanden, alleluja!« antwortete
Konrad.

»Bei mir steht: ›Des wollen wir alle froh sein‹«, sagte
Hedwig.

»Dann steht bei mir: ›Christus soll unser Trost sein‹«, ergänzte Albert, drehte sein Ei und fand seine Vermutung
bestätigt.

»Christ soll unser Trost sein«, sprach Vater, und die

Mutter antwortete: »Kyrie eleis.«

Der Regen ließ am Mittag nicht nach und auch nicht am Nachmittag. Die Dämmerung brach früh herein. Als sie das Dorf Birkow erreichten, wurde Mutter von einem heftigen Schüttelfrost gepackt. Die Plane war längst kein Schutz mehr. Das Wasser hatte alles durchnäßt.

»Häuser«, sagte Vater, und Hoffnung klang in seiner Stimme.

Auf der Dorfstraße standen viele Fuhrwerke. Manche Pferde waren ausgespannt, andere standen mit nassem Fell und tiefgesenktem Kopf im Regen. Vater ließ das Fuhrwerk am Dorfeingang zurück und ging allein in das Dorf hinein. Schon bald sah er den Grund der Stauung. Die kleine Brücke, die mitten im Dorf einen Bach überquerte, war unter der Last eines Wagens eingebrochen.

Vater öffnete eine Haustür. Der Flur war bis auf den letzten Winkel belegt. »Nein. Nichts zu machen«, hieß es hier und im nächsten Haus.

»Meine Frau ist krank«, sagte er. »Sie hat am Karfreitag geboren.«

»Auch noch Kindergeschrei in der Nacht«, keifte eine alte Frau, die dicht hinter der Türschwelle lag. »Mach dich fort! Hättest eben eher kommen müssen.«

»Dort oben ist ein ganzes Stockwerk frei«, höhnte ein Mann und wies mit dem Daumen eine gewendelte Treppe hinauf. Auf halber Stiege versperrte ein Klavier den Zugang. Es schien von oben hinuntergestürzt zu sein.

Ratlos und ohne Mut stand Vater im Regen. Was sollte er sagen, wenn er ohne Aussicht auf ein Dach zurückkehrte?

»Die armen Leute, die armen Leute«, sprach ihn da ein dünnes, altes Männlein an. Da hielt es Vater nicht mehr.

»Gebt Ihr mir Quartier«, stieß er hervor. »Meine Frau

liegt im Regen und hat am Karfreitag erst ein Kind geboren. Sie stirbt mir unter den Händen weg, wenn ich kein Haus, keine Kammer finde.«

Der kleine Mann bedachte sich und antwortete schließlich: »Ich bin der Müller hier, weißt du. Ich bin ins Dorf zu meiner Schwester gegangen, weil ich mich nicht getraue, allein in der Mühle auf dem Berg zu bleiben. Aber wenn ihr zur Mühle wollt?« Er drehte sich um und schrie mit seiner hohen Stimme in den Regen: »Gertrud, Gertrud!«

Ein Mädchen lief herbei.

»Zeig diesem Mann den Weg zur Mühle. Aber kehr sofort zurück.«

»Ja, Vater.«

Das Mädchen mußte rennen, so schnell schritt Vater aus. Sie wies ihm den schmalen Weg, der zur Mühle hin führen sollte, und lief zurück. Die Männer mußten das Pferd vorsichtig führen, denn Regen und herabfließendes Wasser hatten den holprigen Weg aufgeweicht und glitschig gemacht. Konrad trottete hinter dem Fuhrwerk her. Albert hatte längst die Pappe fortwerfen müssen, mit der er Mutters Gesicht eine Weile zu schützen vermochte. Konrad fror. Ich bin bis ins Gebein hinein naß, dachte er. Naß und kalt. Wie heimelig ist doch eine trockene Stube, ein wärmendes Feuer. Und während ihm der Regen ins Gesicht klatschte, sah er sich in seine flauschige Jacke gehüllt neben dem weißen Kachelofen sitzen, die Beine angezogen. Und gegen das Fenster zeichnete sich der schwarze Schatten des Großvaters ab, die kühne Nase, das lange Haar. Irgend etwas fehlte dem Bild. Der Apfel, fiel ihm ein. Jeden Abend durfte ich mir einen Apfel aus dem Keller heraufholen. Am besten schmeckten die braunen Boskops mit der rauhen, schrumpeligen Schale.

»Ein Apfel«, sagte er laut.

»Was redest du?« fragte Hedwig, die sich neben Albert auf das Brett gehockt hatte.

»Ich dachte an unsere Äpfel und an Leschinen«, antwortete Konrad und schauerte zusammen. Der Kachelofen war fort und auch die flauschige Jacke. Er spürte den Regen wieder, kalt und hart.

Dann sahen sie die mächtigen Flügel der Windmühle über der Kuppe des Hügels. Vater packte Mutter ins Bett und deckte sie zu. Ein Feuer prasselte im Herd. Wärme kroch in die Glieder. Der Regen war ausgesperrt. Ein kurzatmiger Wind warf ihn wütend gegen die Scheiben.

In der Nacht suchten noch vierzehn andere Flüchtlinge ein trockenes Plätzchen in der Mühle.

29

»Jeder Tag ist ein neuer Schreckenstag«, sagte Vater am nächsten Morgen zu Konrad, der ihm zum Dorf hin entgegengelaufen war. »Birkow muß bis Mittag geräumt sein.«

»Müssen wir weiter?«

»Nein. Ich werde mich mit Mutter und Hubertus besprechen. Wir bleiben.«

»Und die Russen?«

»Nur wenn sie uns mit Gewalt fortjagen, dann brechen wir auf.«

Hubertus war einverstanden.

Die drei Flüchtlingsfamilien zogen gegen zehn Uhr davon. Bienmanns blieben allein in der Mühle zurück. Hedwig hatte entdeckt, daß im Stall eine Kuh stand. So gab es Milch für Franz und Elisabeth. Bis zum Abend blieben Bienmanns ungeschoren. Im Schutz der Dunkelheit schlich sich der Müller herbei. Er blieb jedoch an der Tür stehen, horchte in die Nacht und war ständig bereit, davonzuspringen.

»Ein Teil der Dörfler hält sich im Wald verborgen«, berichtete er. »Wir wollen einige Tage dort bleiben. Wenn diese Besatzung weiterzieht, kehren wir zurück.«

Er nahm drei Decken und schloß die Kammer neben der Küche auf. Kurze Zeit später ging er eilig durch das Zimmer.

»Brot«, sagte Hedwig. Sie hatte ein braunes Käntchen

durch ein Loch der Wolldecke schimmern sehen. Da blieb der Müller stehen. Er schämte sich. Mit einem Ruck schlug er die Decke auf. Drei Brote lagen in seinem Arm.

»Es sind die letzten. Gott soll mir verzeihen. Aber in dieser Zeit werden Herzen zu Stein.« Er nahm eines der Brote und legte es Hedwig in den Schoß.

Da öffnete Vater seinen Sack, zog die letzte Rauchwurst heraus, die sie aus Leschinen mitgebracht hatten, und schnitt ein gutes Stück herunter. Wortlos reichte er den Zipfel dem Müller. Der nahm das Geschenk und schloß hinter sich die Tür. Vater steckte die Wurst wieder in den Rucksack und brach für jeden ein Stück Brot ab. Alle wurden satt, und es blieb fast ein halbes Brot übrig für den nächsten Tag.

Die Russen zogen weiter. Es folgte eine neue Besatzung. Diese wollte Beute und auch die nächste und übernächste. Beinahe keinen Tag blieb es ruhig in der Mühle. Der Müller war seit dem neunten April mit seinen Mädchen zurückgekehrt, gerade an dem Tag, an dem es Hubertus gelang, ein uraltes Radiogerät an eine Batterie anzuschließen, so daß sie Nachrichten hören konnten.

»Königsberg ist gestern gefallen«, berichtete er, und alle wunderten sich, daß so weit im Osten immer noch gekämpft wurde. Mutter bestand darauf, daß das Gerät außerhalb des Hauses untergebracht wurde.

»Komm, ich weiß einen Platz«, schlug Konrad vor. Mit Hubertus und Albert rannte er über die Hügelkuppe hinweg in ein mit Strauchwerk bewachsenes Tal. Konrad drängte sich durch Haselgebüsch und Hainbuchen und bog schließlich im Dickicht die Zweige auseinander.

»Hier«, sagte er stolz.

Eine verrostete, niedrige Eisentür stand halb offen. Dikkes Ziegelmauerwerk ragte nur wenig über den Erdboden hinaus. Der Raum war niedrig und kaum zwei mal drei Meter groß. Es roch feucht und muffig.

Hubertus sah gleich, welch günstiges Versteck diese Kammer abgab.

Später erzählte er bei der Mittagspause: »Das Radio ist gut untergebracht. Im Dickicht liegt eine kleine Kammer, halb in der Erde.«

»Ach«, erinnerte sich der Müller, »es gab vor Zeiten einen Steinbruch drüben am Bach. Du meinst sicher die Pulverkammer?«

»Ja, das kann sein. Sie hat nämlich dicke Wände und eine Eisentür«, bestätigte Albert.

Die Pulverkammer wurde ein rechter Schlupfwinkel. Der Müller hatte vorgeschlagen, daß ständig eine Wache den Weg überblicken und ein Zeichen geben sollte, sobald sich die Russen vom Dorf her näherten. Gleich am ersten Tag hatte es sich gezeigt, wie nützlich dieser Wachdienst war. Viermal waren die Mädchen des Müllers eilends über die Kuppe ins Gebüsch des Tales geflohen, und die Russen suchten vergeblich nach Arbeiterinnen für ihre Küche und nach Frauen, die mit ihnen trinken und feiern sollten.

Tagelang kam dann gar kein Mann in Uniform herauf. Die Zahl der Bewohner der Mühle wuchs ständig. Frauen und Kinder, meist Verwandte des Müllers aus dem Dorf, suchten Zuflucht auf dem Berg. Mittags saßen sechzehn Personen um den Tisch. Sechzehn Personen haben sechzehn Mägen. Es gab noch ein paar Doppelzentner Roggen in der Vorratskammer. Doch das hölzerne Räderwerk der Windmühle war nicht in Ordnung, und auch ein Flügel war zerbrochen.

»Wenn wir nur mahlen könnten«, seufzte der Müller. Er

betrachtete mutlos zwei geborstene Zahnräder und betastete den halben Flügel. Vater stand neben ihm und
meinte: »Die Räder könnten wir schnitzen und den Flügel notdürftig ausbessern.«

Der Müller schien das zu bezweifeln.

»Wir stammen aus einer alten Zimmermannsfamilie«,
sagte Vater. »Mein Vater Lukas und mein Urgroßvater
Friedrich waren in der ganzen Ortelsburger Gegend be-
rühmt für ihre Zimmermannskunst. Eigentlich stammen
wir aus Liebenberg. Alle Häuser dort hat meine Familie
gebaut. Und sogar eine Brücke und eine Kirche in Amerika.«

Der Müller lachte ungläubig, doch schöpfte er Mut, als
Vater ihm nach vier Tagen das erste Holzzahnrad, groß
wie ein Kuchenteller, fertig vorlegte. Er paßte es ein und
strahlte. Hubertus und Konrad saßen oft über Stunden
beim Vater. Der Junge liebte den frischen Geruch des
Holzes und freute sich an den springenden Spänen.

»Lauf, Konrad, hör die Nachrichten«, sagte Vater an einem klaren Maitag.

Konrad zog seine kleine Uhr aus der Tasche. Es war
Viertel nach zwölf. Er schlenderte ins Tal hinunter und
stellte das Radio ein. Die Batterie war fast leer. Knattern
und Zischen drang aus dem Lautsprecher. Dann hörte er
eine Stimme. Es klang, als spreche sie in Sturmwind hinein. Konrad verstand nur die ersten Sätze. Dann schaltete er hastig ab und rannte zur Mühle zurück. Die Männer waren zu Tisch gegangen. Er stürzte in die Stube.
Der Müller sprach gerade das Tischgebet: »Segne uns
und diese . . .«

»Der Krieg ist aus!« rief Konrad aufgeregt dazwischen.

»Deutschland hat bedingungslos kapituliert.«

Der Müller hielt einen Augenblick inne und betete leise

weiter: » . . . und diese deine Gaben, die wir durch deine Güte nun empfangen werden. Amen.«

Alle standen schweigend.

»Der sechsjährige Krieg ist aus. Wir haben heute den 8. Mai 1945«, sagte Vater.

Sie löffelten ihre dünne Suppe. Die Kinder schnatterten leise.

»Wir dürfen bestimmt wieder nach Leschinen«, flüsterte Hedwig.

»Dort schenkt mir Vater ein schneeweißes Kaninchen«, träumte Albert, und Konrad fragte: »Ob meine Angelrute wohl noch unter dem Gebüsch liegt?«

Doch zunächst ließ es sich mit der Heimkehr schlecht an. Vater schnitzelte das letzte Rad für das Mühlwerk fertig und flickte mit Draht den lahmen Flügel. Endlich, als die Suppe beinahe nur noch aus Wasser und Grünzeug bestand und Brot eine Sonntagsspeise wurde, da stand die Mühle zum Mahlen bereit.

»In dieser Nacht dreht sich der Mühlstein«, verkündete der Müller stolz. Konrad stand schon seit dem späten Nachmittag auf dem Hügel und prüfte den Wind. Er netzte seinen Finger im Mund und steckte ihn in die Luft. An keiner Seite spürte er Kälte.

»Kein Wind, Müller«, sagte er.

Der Müller versuchte es auch. Dreimal, fünfmal.

»Kein Wind«, bestätigte er traurig, zog seine Mütze ab und ging ins Haus zurück.

Konrad hörte ihn in der Nacht wiederholt hinausschleichen. Langsam und vorsichtig kehrte er nach einer Weile zurück. Kein Wind.

Ungeduldig umkreiste er die Mühle in den folgenden Tagen und schaute sich die Augen nach weißen Wolken aus. Sein Zeigefinger war vom häufigen Befeuchten rosig und weich geworden. Er hätte die geringste Kühle des leisesten Windhauches sofort gespürt. Aber selbst die blieb aus.

Endlich, am neunten Nachmittag, glaubte Konrad von Norden her einen Luftzug zu spüren. Der Finger wurde merklich kalt. Das Gras bewegte die Spitzen, und die Blätter der Espe im Tal glitzerten.

»Wind!« rief er durch die hohle Hand zum Haus hinüber. Der Müller eilte heraus. Er war ganz ausgelassen. »Heute bläst es die ganze Nacht«, prophezeite er und behielt recht.

Gegen neun Uhr bespannten Vater und er die Flügel der Mühle mit weißen Segeln. Um zehn Uhr löste der Müller den Riegel. Das Holzwerk knarrte, die Zähne faßten ineinander, die Räder drehten sich und mit ihnen der Mühlstein.

»Nun aber ins Bett«, befahl Vater.

Als Konrad am nächsten Morgen aufwachte, trug der Müller einen kleinen Sack Mehl auf der Schulter in die Küche. Hände und Gesicht waren weiß überpudert. Mutter öffnete den Sack und ließ das Mehl durch die Finger gleiten. Der Müller konnte ihr Urteil gar nicht abwarten.

»Na, Frau, was sagst du dazu?« rief er fröhlich.

»Feines, weißes Mehl aus Roggen.« Mutter lächelte spitzbübisch.

»Roggen?« entrüstete er sich. »Roggen? Das ist Weizenmehl, reines Weizenmehl, dreifach gesiebt.«

Doch weiter ging es nicht in diesem Streit. Konrad stürzte herein und warnte: »Sechs Soldaten. Sie sind schon halbwegs oben und gehen schnell.«

Die Mädchen und Frauen verkrochen sich. Die Soldaten nahmen nichts mit. Bis auf das Mehl. Das feine, reine Weizenmehl. Der Müller aber ließ den Mut nicht sinken.

»Wir werden in dieser Nacht wieder mahlen. Doch dann bringen wir den Schatz in die Pulverkammer.«

»Wie wäre es, wenn wir den Rest unserer guten Sachen auch dort lagerten?« schlug Vater vor.

»Nach neunzehn Plünderungen reicht der Raum gewiß«, spottete die Schwester des Müllers.

Jedoch wunderten sich alle, daß sie nicht selbst schon eher auf diesen Gedanken gekommen waren. Konrad half Vater und schleppte mit ihm die schmale Kiste hinunter.

»Dein Kommunionanzug wird dir allmählich zu eng werden«, vermutete Hedwig.

»Ja, Konrad wird groß und stark«, prahlte Albert und befühlte Konrads Armmuskeln. »Knochenhart«, stellte er fest.

»Kein Wunder«, keuchte Konrad, »bei dieser Last.«

Die Pulverkammer barg die letzte Habe von vier Familien.

»Sicher und gut«, glaubte Konrad.

»Sicher ist nichts mehr«, berichtigte ihn Hubertus.

»Ich glaube, hier doch«, meinte auch Vater zuversichtlich und freute sich, daß er seinen schwarzen Hochzeitsanzug durch alle Fährnisse hindurch gerettet hatte.

30

Der Apfelschimmel Nikolai hatte sich längst an Deichsel, Wagen und Pflug gewöhnt. Auf den Äckern rings um die Mühle schoß die Saat, die Kartoffelfelder grünten, und auf den wenigen Kornschlägen standen die Halme bereits kniehoch. Am Pfingstfest feierten sie in der evangelischen Kirche eine heilige Messe. Wie selbstverständlich hatte die Gemeinde den katholischen Flüchtlingen ihr Gotteshaus überlassen. Später am Morgen fand der evangelische Gottesdienst statt.
Der Müller zog seinen guten schwarzen Anzug an. Es stellte sich auf dem Rückweg heraus, daß der Anzug für Pfingsten 1945 zu gut gewesen war. Dicht beim Dorf begegnete der Müller drei ehemals polnischen Gefangenen, denen der schöne Stoff in die Augen stach. So kehrte er in Oberhemd und Unterhose in die Mühle zurück. Konrad staunte über den Gleichmut des Mannes. Er lächelte bei der seltsamen Heimkehr und sagte: »Die Soldaten beraubten ihn seiner Kleider und warfen das Los darüber.«
Während des ganzen Sommers hielten sich die Gerüchte, daß die Flüchtlinge bald in ihre Heimat zurückkehren dürften. Doch als Woche um Woche verging, schwand allmählich die Hoffnung. Polnische Soldaten hatten inzwischen die Russen abgelöst. Es hieß, daß das ganze Land östlich von Oder und Neiße in Zukunft zu Polen gehören sollte. Die Himbeeren reiften in der

Schlucht, Blaubeeren gab es reichlich, und die Haselnüsse setzten früh an in diesem Jahr.

Eines Tages streifte Konrad durch die Schlucht und lief dem Wasserlauf entgegen. Er liebte es, allein zu gehen. Sein Schritt war behutsam, leise. Kein trockener Zweig brach unter seinen Sohlen. Die Forellen schossen erst davon, wenn sein Schatten über sie hinglitt. Zum erstenmal wagte er sich bis an den Rand der Schlucht, dorthin, wo der Bach aus den Wiesen in das Mühltal hineinsprang. Der Junge war wachsam. Die Warnung der Großen schärfte ihm Ohren und Augen. »Bleib beim Haus! Meide die Polen!« hieß es. In das freie Feld zu treten, sich gar dem Haus am Bach zu nähern, getraute er sich nicht, obwohl die blanke Fläche eines aufgestauten Sees vor dem Anwesen seine Neugier reizte.

Plötzlich zuckte er zusammen und duckte sich hinter einen Vorhang violetter Weidenröschen. Vor ihm, kaum zehn Sprünge entfernt, lag ein Junge auf dem Bauch. Er hielt den Oberkörper weit über den Bach gebeugt. Sein Kopf war kahlgeschoren und glich einer schwarzblauen Kugel. Seine Nasenspitze berührte beinahe das Wasser. Die braune Hand des Jungen senkte sich unter das Ufer, der Arm folgte sicher.

»Er spürt den Fisch!« wußte Konrad, als er sah, wie die Muskeln des Jungen sich anspannten. Ohne Hast zog der Junge seinen Arm unter dem ausgewaschenen Ufer hervor und schleuderte eine handlange Forelle weit in die Wiese. Konrad sah in das strahlende, pausbäckige Gesicht. Unter der braunen Haut glühte das Jagdfieber bis in die Stirn.

»Bravo!« rief er und teilte die Weidenröschen mit den Händen.

Der Junge sprang auf. Mißtrauen und Wachsamkeit

überflogen sein Gesicht. Sein Hemd leuchtete blau. Die Hose reichte bis über die Knie. »Was willst du hier?« stieß er hervor. An der Sprache merkte Konrad es sicher, es war ein Polenjunge.

»Ich heiße Konrad«, sagte er und schritt ihm zögernd entgegen.

»Marian ist mein Name.«

»Du kannst Fische mit der Hand fangen.«

»Das ist leicht.« Marian zuckte geringschätzig mit den Schultern, beugte sich zu dem Fisch nieder und schlug mit einem glatten, roten Kiesel auf seinen Kopf.

Sie setzten sich in das Gras.

»Ich wohne am Rand der Schlucht in der Mühle.«

Marian steckte sich einen Grashalm zwischen die Zähne. »Seit einer Woche ist unser Haus dort drüben.« Er wies zu dem Gehöft am Teich hinüber.

»Und wo kommst du her?«

»Erst lebten wir bei Czersk in der Heide. Dann kamen Soldaten und trieben uns fort. Schwarzmeerdeutsche nahmen unseren Hof, unsere Pferde, meine Hündin Malina. An der russischen Grenze blieben wir bei meiner Babuschka. Jetzt sind wir hier, und das ist unser Hof.«

»Und die, denen er bisher gehörte?«

»Was weiß ich? Vielleicht werden sie jetzt weggetrieben und haben irgendwo eine Babuschka?«

»Gibt es Fische im Teich?«

»Viele Fische. So groß.« Er schnitt ein Meterstück aus der Luft.

»Warum fängst du dann die kleinen Forellen?«

»Es macht mir Spaß mit der Hand.«

»Das ist schwer.«

»Nein. Du mußt sie nur langsam fassen. So!« Er krümmte die Finger und krampfte allmählich die Hand zur Faust.

»Ich habe keine Angel, weißt du?«

Da erinnerte sich Konrad an Großvaters Künste. »Eine Angel kann ich machen«, prahlte er.

Da bot Marian an: »Wir könnten zusammen fischen.«

»Aber mein Vater . . .«, sagte Konrad und blickte Marian in die Augen.

»Was hat er?«

»Du bist Pole, ich bin Deutscher.«

»Ach ja.« Marian biß heftiger auf seinen Halm. Schließlich sagte er:

»Aber du hast eine Angel und ich den Fischteich.«

»Ja.«

»Wirst du kommen?«

Konrad überlegte. Marian gefiel ihm. »Was hindert mich?« dachte er. »Er ist ein Pole, gut. Ich bin ein Deutscher, auch gut. Und was mehr?«

»Ja, morgen werde ich kommen.«

Eine Stimme schrie vom Gehöft her. Marian erhob sich.

»Meine Schwester Loschka«, sagte er.

»Bis morgen, Marian.«

»Bis morgen, Konrad.«

Konrad sah ihm nach, wie er durch das hohe Gras watete. Der tote Fisch in seiner Hand streifte die braunen Halmspitzen. Die Butterblumen schlugen hinter ihm zusammen. Einen dunkelgrünen Pfad pflügte er in die Wiese. Konrad blickte auf die Uhr. Er mußte zur Mühle zurück.

Albert vertraute er seine Geschichte an. Und dem auch nur, weil irgend jemand ihm die neununddreißig Pferdehaare aus Nikolais Schweif halten mußte, während er die Schnur mit flinken Fingern schlang. Der Angelhaken wurde aus einer Sicherheitsnadel gebogen und so gefeilt, daß ein winziger Widerhaken entstand.

»Morgen essen wir Fisch«, verkündete er schließlich stolz.

»Bleib nur dicht beim Haus«, warnte der Müller.

31

Zwischen Tag und Schlaf saßen die Männer eine Weile
auf der rohen Bank vor der Mühle. Wildgänse zogen
südwärts, und ihre rauhen Schreie hallten. Im Westen
brannte ein dunkles Abendrot. Die Spinnen zogen ihre
Netze dichter und nutzten die letzten Tage des Altwei-
bersommers.

»Gutes Wetter wird es geben«, sagte der Müller.

»Es sieht aus wie der Brandhimmel über Braunsberg«,
fiel Konrad ein. »Um diese Zeit feierten wir Schützenfest
in Leschinen«, erzählte Vater. Konrad erinnerte sich
dunkel an einen Tanzboden im Wald, an Würstchenbu-
den und das Kinderkarussell mit den hölzernen Schim-
meln und dem Feuerwehrauto. »Hedwig wurde es immer
schlecht auf dem Karussell«, sagte er.

Vater lachte: »Aber sie quälte trotzdem so lange, bis
Großvater ihr einen Groschen gab.«

»Wie spät ist es?« fragte der Müller und gähnte.

Konrad hielt seine Uhr ans Licht und antwortete:
»Gleich halb zehn.«

»Ich krieche in die Federn.« Der Müller stand auf, reckte
sich und wünschte »Gute Nacht«. Hubertus schloß sich
ihm an. Vater und Konrad saßen schweigend nebeneinander. Die Nachtkälte kroch über den Hof und stieg ihnen in die Beine. Vater erhob sich ebenfalls. Ihn fröstelte.

»Sieh, das Sternbild des Großen Wagen, Junge«, sagte er

und wies Konrad mit der Hand das Zeichen.

»Ich kann den Nordstern schon finden, Vater. Er liegt in der Verlängerung der hinteren Achse, fünfmal tiefer.« Er suchte am klaren Himmel und rief: »Dort ist er, Vater. Er glänzt hell und funkelt.«

»Ja. Da ist Norden, Junge.« Dann drehte sich Vater ein wenig und sprach: »Und dort über dem Roggenschlag, dort liegt Leschinen.« Eine Weile stand er stumm. Dann ging er ins Haus. »Es ist ein gastliches Haus«, dachte er. »Mit keinem Blick läßt uns der Müller fühlen, daß wir eine Last für ihn und seine Familie sind. Und doch, es bleibt mir ein fremdes Haus.«

Konrad war es leichter gefallen, sich in Birkow einzuleben. Mühle und Stall, Haus und Schlucht hatte er bis in den letzten Winkel mit Albert und Hedwig durchforscht. Besonders das hölzerne Räderwerk der Mahlstube hatte es ihm angetan. Lange konnte er dort auf einer Holzkiste sitzen und zuschauen, wie die Zahnräder sich knarrend drehten und ineinandergriffen, wie die schweren Mühlsteine sich bewegten und die Körner zu Mehl zerquetschten.

Konrad lag lange wach in dieser Nacht. Die schrillen Schreie der Graugänse saßen ihm noch in den Ohren. »Sie flogen über Leschinen, über den Fluß.« Bilder vom verschneiten Fichtenwald, von der Schulstube in Prawusen und von klingenden Schlittengespannen begleiteten ihn bis in den Schlaf.

Wenig nach Mitternacht schreckte er auf. Harte Fäuste schlugen gegen die Tür. Vater öffnete und blickte in die Mündungen von drei Maschinenpistolen. Ein halbes Dutzend polnischer Soldaten drängten sich in den Flur.

Plünderer, dachte Konrad und tastete nach der Uhr. Wir hatten lange Ruhe.

»Kontrolle«, maulte ein Soldat und fuchtelte mit der Waffe. Er sah müde und verärgert aus.

»So begannen viele Plünderungen«, tröstete sich Konrad. Aber dann sah er an den mißmutigen Gesichtern der Soldaten, daß sie nicht aus Gier nach Schnaps und Gold und Frauen in dieser Nacht zur Mühle gekommen waren. Auch ging die Rede, daß der Ortskommandant ein strenges Regiment führte und den Dörflern Ruhe und Schutz für Leib und Leben versprochen hatte.

Der Müller zeigte seinen Registrierschein, die Tante wies ihren vor, Gertrud fand ihren nicht gleich. Schließlich war Konrad an der Reihe.

»Stell dich an diese Wand«, befahl der Soldat schroff. Vater, Hedwig, Albert, auch Hubertus und Mutter mit den beiden Kleinen beorderte er in die eine Ecke des Zimmers. »Ihr kommt mit.«

»Wohin sollen wir?« fragte Vater.

»Weiß ich nicht. Kommt. Los!«

»Wir müssen uns erst anziehen«, wandte Vater ein und zeigte auf die Kinder, die sich in ihren Schlafkleidern um die Mutter drängten.

»Zehn Minuten Zeit«, stimmte der Soldat zu.

Der Müller kam mit seinem alten Rucksack, stopfte Lebensmittel hinein, wickelte eine große Flasche Milch in ein Tuch und band Mutters Decke darüber.

»Zieht alle Sachen an, die ihr habt«, sagte Vater.

Die Soldaten verließen den Raum und redeten im Flur laut miteinander.

»Was ist mit euren Sachen in der Pulverkammer?« fragte der Müller.

»Bitte«, flüsterte die alte Tante des Müllers nur. Sie hatte dort ihre letzten Wertsachen verborgen. Vater schwieg.

»Du hast deinen Kommunionanzug auch dort«, erinnerte

Hedwig den Bruder.

»Und meine ganzen Papiere, die Urkunden von Haus und Hof, meinen Hochzeitsanzug.« Vater unterbrach sich. Ihm fiel der Pfingsttag ein, an dem der Müller seinen Anzug verloren hatte.

»Wenn ihr die Sachen holen müßt«, sagte der Müller ruhig, »dann werden die Polen die Kammer finden und ausräumen.«

»Wir sind keine Wölfe«, sprach die Mutter leise.

»Wölfe, Wölfe«, knurrte Vater.

Der Müller reichte ihm den Rucksack. Auch Hubertus und die Kinder hatten in aller Eile kleine Gepäckstücke zusammengeschnürt. Konrad trug in seiner Decke einen Topf Schmalz und sein Angelzeug. »Armer Marian«, dachte er, »wirst vergeblich auf mich warten müssen.« Hedwig hatte einige Windeln für Elisabeth eingepackt, und die Müllerstante steckte ihr ein Brot zu.

»Los, los!« drängte der Soldat.

Sie mußten hinaus.

Vater versuchte, aus den Polen herauszubekommen, was mit ihnen geschehen sollte. Doch sie schwiegen mürrisch. Vor dem Dorfkrug brannte eine trübe Laterne. Viele Leute waren dort zusammengetrieben. Einzeln führten Soldaten sie in den Krug. Offenbar wurden sie zum Hinterausgang hinausgelassen.

Konrad machte sich einen Reim und sagte zu Vater: »Sie wollen uns die letzten Sachen abnehmen.«

Vater lächelte ein wenig und dachte: Schon die Kinder verstehen sich heute auf Diebstahl und Raub. Er trat zu dem Wachtposten und sprach auf ihn ein, zeigte auf Mutter und den Säugling und auf Franz, der immer noch stolz auf seiner Schulter ritt. Der Soldat hörte ihn geduldig an, sagte nichts, erlaubte aber Mutter, um das Haus herumzugehen. Vater folgte ihr.

Die Kinder trieb der Posten in die Schlange zurück. Konrad und Hedwig wurden zusammen in die Gaststube gebracht. Sie mußten ihr Gepäck auf dem Boden ausbreiten. Konrads Angelschnur faßte ein breitschultriger junger Offizier mit zwei Fingern, lachte und warf sie in die Ecke zu allerlei Dingen, die den Leuten vor ihnen abgenommen worden waren. Aus mit unserem Fischen, Marian, dachte Konrad traurig. Und wer weiß, ich glaube, du wärst mein Freund geworden.

Ein anderer Soldat trat hinter dem Tisch hervor, zog sein Seitengewehr aus der Scheide und stocherte in dem Schmalztopf.

»Patronen?« fragte er.

Konrad zog die Stirn kraus. »Nein, nur Schmalz.«

Der Topf wurde beschlagnahmt. Ebenso ging es den Decken und Hedwigs Brot. Nur für die Windeln hatten sie offenbar keine Verwendung. Sie blieben das einzige, was die Kinder von ihren Bündeln aus dem Haus trugen. Und die Uhr, die Konrad unter die Achsel geklemmt hatte.

»Dort hinaus«, rief der Soldat und stieß sie durch die Hintertür in die Finsternis.

Vater und Mutter allein waren nicht ausgeräubert worden. Alle Flüchtlinge wurden auf der Straße zu einem lockeren Zug geordnet. Es waren an die fünfzig Menschen. Schnell trieben die Soldaten den Zug vorwärts. Die kleinen Kinder begannen zu jammern, und die Alten japsten nach Atemluft.

Die Nacht tropfte dahin, endlos, eintönig. Fahles Licht wuchs schließlich im Osten. Eine Drossel schlug verschlafen. Auf den Wiesen lagen Nebelbänke. Apfelsinenfarben ging die Sonne auf, und der Tau blitzte auf den Gräsern.

»Was für ein Morgen«, sagte Hedwig laut.

»Nur wir, wir passen nicht in diesen Sonnentag«, fügte Mutter hinzu.

»Ob es für uns noch einmal Sonnentage geben wird?« fragte Vater bitter.

»In Sibirien scheint die Sonne selten so warm«, rief ein Weib von vorn.

»Dort sind die Sommer kurz.«

»Weshalb sprechen die Leute von Sibirien, Vater?« fragte Albert ängstlich.

»Dummes Gerede«, antwortete Vater ärgerlich.

»Vielleicht fahren wir nach Leschinen«, wagte Hedwig leise zu flüstern.

»Ja, wir werden fahren«, rief Albert fröhlich und zeigte auf die Eisenbahngeleise, die seit einiger Zeit die Straßen begleiteten.

»Leute, ein Zug!« schallte es aus der Schar.

Mit einem Mal schien neue Kraft in die Glieder zu strömen. Bald hatten die ersten die Lokomotive erreicht. Sie stand bereits unter Dampf und spuckte und fauchte so, daß Franz sich an Hubertus' Haarschopf klammerte.

Auf dem Dach des Tenders war ein leichtes Maschinengewehr aufgebaut. Die ersten Viehwagen waren vollgestopft mit Menschen. Die Schiebetüren standen nur eine Handbreit auf.

»Wo geht es hin?« schrie Hubertus.

Achselzucken war die Antwort. Sibirien? Das war die bange Frage hinter jeder Stirn.

Der Waggon stand auf hohen Rädern. Vater und Hubertus halfen Mutter, den Kindern und später auch anderen Leuten hinauf. Schließlich schien ihnen der Platz zu eng zu werden.

»Hier ist besetzt«, sagte Hubertus zu den Soldaten.

»Besetzt? Alle müssen hinein, alle.« Er half mit dem Gewehrkolben kräftig nach und brachte es fertig, noch etwa zwanzig Personen in den Wagen zu pferchen. Die zuerst gekommen waren, hatten sich mit dem Rücken gegen die Wände gehockt. Für Vater, Hubertus und viele andere Leute blieb jedoch nur ein kleines Fleckchen in der Wagenmitte übrig.

»Rückt zusammen an den Wänden«, forderte Hubertus, »dann können wenigstens die Frauen und Kinder gut sitzen.«

»Hört den Grünschnabel«, ereiferte sich ein alter Schnauzbart, der nicht nur für sich einen guten Platz erkämpft hatte, sondern auch für seinen prallen Sack.

»Ich schlage dir gleich diesen Arm auf den Schädel«, knurrte Hubertus zornig und schwang seinen Holzarm.

»Streitet nicht«, sagte ein alter Mann ruhig. »Und du, Nessbauer, nimm deinen Sack von der Wand und laß die Frau mit ihrem Kind dort sitzen.«

Widerwillig fügte sich der Schnauzbart. Endlich saßen alle. Mutter wickelte die Flasche aus dem Wolltuch und fütterte Elisabeth mit Haferflocken, die sie in ein wenig Milch einweichte. Vater saß vor ihr.

»Sei sparsam mit der Milch, Agnes«, rief er.

»Sie bleibt für Elisabeth.« Den anderen Kindern, Hubertus und ihrem Mann brach sie ein Stück Brot und schnitt den Riegel Speck auf, den der Müller ihr eingepackt hatte. Der Speck war gesalzen und schmeckte gut zum Brot.

Die Wärme der Herbstsonne war bereits im Wagen zu spüren, als die Lokomotive pfiff. Schwarze Krähen flatterten schwerfällig auf. Der Zug ruckte an.

»Es geht nach Osten«, prophezeite der Schnauzbart.

»Sieh dir die Sonne an, Dummkopf«, widersprach eine Frau.

»Nach Westen geht es«, bestätigte der alte Mann.

»Nun«, tröstete sich Konrad, »im Westen liegt zwar Leschinen nicht, aber auch nicht Sibirien.«

32

Von Stunde zu Stunde bestätigte es sich mehr, daß der Zug nach Westen ratterte. Hubertus sah es an den Sonnenblumen in den Gärten der kleinen Häuser. Sie streckten dem Zug ihre Gesichter entgegen. »Sonnenblumen halten stets Ausschau nach der aufgehenden Sonne«, erklärte er. Am Nachmittag fuhr der Zug langsamer. Konrad drängte sich zum Spalt, den die Tür offen ließ. Es war die einzige Gelegenheit, wenn jemand austreten mußte. Lange hatte er gehofft, der Zug würde halten, und er könnte dann aussteigen. Aber schließlich mußte er doch aufstehen. Einen Augenblick streckte er seinen Kopf in den Fahrtwind. Streckenarbeiter waren dabei, die Schienen des zweiten Gleises aufzureißen.

»Wo sind wir?« schrie er.

»Bald in Stargard«, schallte es zurück.

»Stargard liegt vor Stettin«, sagte der alte Mann.

»Und Stettin vor Berlin«, lachte die Frau neben dem Schnauzbart.

»Berlin«, flüsterte der Vater. Er dachte an das ferne Ziel ihrer Flucht, an seinen Bruder.

»Berlin«, flüsterte Hubertus. Hoffnung und Furcht weckte das Wort in ihm. Lebten seine Eltern? Stand das Haus?

Der Zug hielt auf freier Strecke. Sie schoben die Tür weiter auf. Doch als zwei Männer versuchten, den Wagen zu verlassen, um sich die steifen Beine ein wenig zu vertreten, da pfiff eine Garbe aus dem Maschinengewehr den Zug entlang, und sie drängten sich schnell zurück.

»Gäbe es doch Wasser hier«, seufzte Konrad. Ihm lag die Zunge dick und trocken im Mund. »Ich habe Durst.«

»Wir haben alle Durst« antwortete Hedwig. Doch das

machte Konrads Verlangen nach Wasser nicht erträglicher. Hitze lastete im Waggon. Kein Fahrtwind milderte sie.

Da trat ein Pole an die Tür, lächelte und sagte höflich in einem Ton, als wollte er den Aufenthalt erklären und sich für den Zwischenfall entschuldigen: »Die Maschine ist kaputt. Maschinist will nur flicken, wenn Gold oder Silber bekommt. Sonst bleibt stehen.« Und damit kein Irrtum entstehe, zeigte er ein goldenes Zwanzigmarkstück, das er offenbar in einem anderen Waggon erpreßt hatte.

»Ich zähle bis zehn«, sagte er freundlich und begann.

Bis fünf rührte sich niemand. Da zog die Frau neben dem Schnauzbart aus ihren Kleidern einen goldenen Ring. »Es ist mein Trauring«, sagte sie leise und legte ihn in den Hut, den der Pole bereithielt. Auch der alte Mann suchte in seinem Rock und ließ eine Münze in den Hut gleiten.

»Nicht genug«, sagte der Pole sanft und zählte »acht«.

»Nessbauer«, sagte der alte Mann, und Drohung lag in seiner Stimme.

»Ich habe nichts! Was wollt ihr immer von mir?« klagte der Schnauzbart.

»Wir werfen deinen Sack hinaus«, sagte der alte Mann. Da fluchte der Nessbauer, zog seine Taschenuhr aus seinem Rock und warf sie wütend in den Hut.

»Wie schwer er sich von seinen letzten Schätzen trennt«, lachte Hubertus, hob die Prothese ein wenig vom Stumpf des Oberarms und entnahm diesem Versteck eine goldene Brosche, wog sie zweimal in der offenen Hand und ließ sie dann in den Hut springen.

»Zehn«, zählte der Pole, ließ den Schatz durch die Finger gleiten und versicherte zufrieden: »Gleich geht es los.«

210

»Gib uns Wasser«, bat Konrad.

»Später«, versprach der Pole.

»Ist das nicht eine Schande, was mit uns geschieht?« nörgelte der Nessbauer.

Niemand gab ihm Antwort.

»Wie Vieh«, ereiferte er sich, »wie Vieh werden wir zusammengepfercht. Diebe! Alles Diebe! Den Hof haben sie gestohlen. Räuber! Mörder!« Er sprach nicht sehr laut, aber in seiner Stimme brannte Haß. »Mein Hof, meine Frau!«

»Schweig!« tadelte der Alte. »Wir alle büßen wie du. Oder hast du geklagt, als die Polen vertrieben, die Juden gemordet wurden, he?«

»Ich habe nicht...«, wollte sich der Schnauzbart verteidigen.

Hart unterbrach ihn der alte Mann: »Du hast es gewußt und deine Uniform weitergetragen. Schweig also!«

»Aber wir«, warf eine Frau ein, »wir gehörten nicht dazu. Warum werden wir so gestraft? Ist das gerecht, daß Schuldige und Unschuldige...«

Auch ihren Einwand schnitt der alte Mann erregt ab: »Wir alle haben das Unrecht hochschießen lassen und es nicht auszureißen versucht. Alle! Wer damals laut angeklagt hat, als andere Menschen Gewalt leiden mußten, der mag auch jetzt klagen.«

Vater drückte Konrad fest die Hand.

»Großvater«, flüsterte Hedwig, und Vater nickte.

Nach einer halben Stunde hatte der Maschinist die Lokomotive wohl mit dem Gold bewogen weiterzufahren. In der Nacht ratterten sie durch den Bahnhof Stettin. Als sie am nächsten Morgen auf einem weißen Schild Eberswalde lasen, sagte Hubertus, daß es nicht mehr weit bis Berlin sei. Alle litten unter dem Durst, am meisten die Kinder. Mutter hatte in der Dunkelheit den letzten Rest der Milch der kleinen Elisabeth gegeben. Doch sie war längst nicht satt und schrie lange und jämmerlich. Konrad wachte erst spät aus einem leichten Halbschlaf auf. Seine Zunge schien rissig und klebte am Gaumen.

»Ein Schlückchen Wasser nur«, flüsterte er leise vor sich hin. Hedwig und Albert schwiegen.

Endlich hielt der Zug. Diesmal auf einem kleinen Bahnhof. Noch ehe jemand hinausspringen konnte, bellte das Maschinengewehr. Der Pole kam wieder.

»Zwei Mann für Wasser!« befahl er.

Der alte Mann, der durch seine Gelassenheit ohne eine Abstimmung Wortführer des Wagens geworden war, bestimmte einen breitschultrigen Burschen und Hubertus. Sie trugen aus dem Güterschuppen eine Milchkanne herbei. Ein Füllwerk, das sonst die Lokomotivkessel speiste, spie aus seinem dicken Rüssel einen breiten Strahl helles, klares Wasser. Sie schleppten die Kanne zum Waggon. Die Tür war auf Geheiß des alten Mannes ganz aufgeschoben worden. Konrad stand mit seinem Gefäß in der ersten Reihe. Hubertus schöpfte und reichte ihm das Geschirr in den Wagen zurück. Beim Anblick des Wassers verlor Konrad jede Beherrschung. Er setzte das Geschirr an die Lippen und trank und trank.

»Weg da vorn!« rief eine Frau schrill und drängte Konrad zur Seite. Der Rest des Wassers strömte über sein Gesicht und netzte den Boden.

»Ich will auch Wasser«, schrie der Schnauzbart. Hubertus füllte noch zwei, drei Gefäße.

»Mir zuerst, mir, mir«, gellte es aus dem Wagen. »Wasser! Wasser!«

»Ruhe!« rief der alte Mann.

Doch diesmal wogen Vernunft und Ordnung nicht. Er wurde überschrien. Viele drängten zum Eingang, bis schließlich drei zugleich hinausgestoßen wurden und die Kanne mit sich rissen. Ehe Hubertus sie greifen konnte, war sie leergelaufen. Zugleich ratterte das Maschinengewehr. Ermattet setzten sich die Leute wieder. Einige weinten verzweifelt. Hubertus bat den Polen: »Bitte, lassen Sie uns noch eine Kanne Wasser holen.«

Der Pole antwortete kurz: »Nein.«

Währenddessen strömte aus dem Füllwerk das Wasser und versickerte zwischen den Schottersteinen.

»Wo hast du das Wasser?« fragte Hedwig.

Konrad stand vor ihr und schämte sich. Er hatte getrunken, und seine Geschwister sahen ihn mit großen Augen an. Plötzlich drehte er sich um und trat wieder zur Tür.

»He, Herr Soldat«, schrie er. »Eine goldene Uhr für eine Kanne Wasser.«

»Her mit der Uhr.«

»Erst das Wasser«, forderte Hubertus.

»Los, lauft!« willigte der Pole ein.

Sie schleppten die Kanne randvoll herbei.

»Wo ist die Uhr?« Der Soldat trat heran. Da reichte ihm Konrad das Geschenk des Großvaters, die Uhr, die so viele Generationen hindurch in der Bienmannfamilie immer an den ältesten Sohn weitergegeben worden war.

Hubertus hob mit Vaters Hilfe die Kanne in den Waggon. Die Leute waren klüger geworden. Vater gab jedem das gleiche Maß, und es blieb noch ein Rest übrig.

»Ich bin stolz auf dich, Sohn«, sagte Mutter und strich Konrad über das Haar. »Wenn du später deinem ältesten Sohn diese Geschichte erzählst, dann hat er ein Erbstück, das mehr wert ist als jede Uhr.«

»Wasser ist lecker«, sagte Franz. Er tat genau, wie Vater

ihn geheißen hatte, und schlürfte winzige Schlucke.

Es gab viele Pausen an diesem Tag. Erst am Abend erreichten sie Berlins Trümmer. Wieder hielt der Zug. Nicht weit von ihnen kreuzte eine Straße die Geleise. Es wurde dunkel.

Vater tuschelte mit Hubertus und Mutter. Dann ging er zu dem alten Mann und erklärte: »Wir haben Verwandte hier in der Stadt. Wir steigen aus.«

Die Tür wurde vorsichtig aufgeschoben. Vater sprang als erster hinaus. Er horchte in die Dunkelheit. Alles blieb still. Nun reichte ihm Hubertus Konrad, Hedwig, Albert und Franz hinab. Mutter gab ihm Elisabeth. Er hielt sie, während sie ausstieg. Kaum spürte das Kind die kalte Nachtluft, da vermißte es seine Mutter und schrie laut. Hubertus sprang vom Waggon.

»Schnell«, rief er leise und verschwand neben den Geleisen. Die Kinder stolperten nach. Konrad fiel und drückte sich in eine Bodenwelle.

»Was ist los?« schrie ein Soldat. Seine Stiefel knirschten auf dem Schotter wenige Meter von Konrad entfernt.

Da pfiff die Lok. Der Zug ruckte an. Der Soldat rannte und sprang schließlich auf.

»Wo seid ihr?« rief Mutter halblaut. Alle sammelten sich um sie.

»Und wo ist Franz?« fragte sie angstvoll.

»Bei mir«, sagte Vater.

Sie schritten zur Straße. Ein Mann mit einer Schubkarre begegnete ihnen. Sie fragten nach dem Weg.

»Gehen Sie mit mir«, sagte er. »Ich bringe Sie über die Sektorengrenze.«

Sie liefen durch dunkle Straßen. Manche waren von den Trümmern zugeschüttet bis auf einen schmalen Pfad.

»Vorsicht jetzt«, sagte der Fremde. »Dort drüben sind Sie

im Westsektor. Warten Sie, bis der Posten eine Weile vorbei ist. Er hat hier ein weites Stück zu gehen.«

Die Wache schritt dreißig Meter vor ihnen quer über die Straße. Der Fremde wartete zwei Minuten.

»Jetzt!« sagte er.

»Ihr Name?« fragte Vater.

»Was soll ein Name? Los, es wird Zeit.«

Sie liefen. Niemand rief sie zurück. Keuchend blieben sie endlich stehen.

»Von drüben?« sprach eine junge Frau sie an.

»Ja.«

»Und wohin?«

»Nach Wedding, Konstantinweg.«

»Gehen Sie nur geradeaus. Es ist eine knappe Stunde bis dort.«

»Ich kenne mich schon aus«, sagte Hubertus. Doch er irrte sich. Berlin war eine wirre Wüste. Ruinen, Ruinen, wohin er auch blickte.

Eine Trümmerstadt. Eine tote Stadt.

»In den öden Fensterhöhlen wohnt das Grauen«, zitierte er.

Spät fanden sie das Haus. Vater atmete auf, als er es unzerstört fand. Er klingelte. Schritte schlurften über den Flur. Licht flammte auf und drängte sich durch die Türritzen. Ein Schlüssel drehte sich im Schloß. Die Tür öffnete sich.

»Ja, was gibt es so spät?« Ein großer, grauhaariger Mann stand vor ihnen.

»Georg?« sagte Vater unsicher.

»Johannes! Bruder!« rief der Mann, faßte Vaters Arm und zog ihn ins Licht.

»Bärbel«, schrie er in den Flur, »Bärbel! Mein Bruder Johannes!«

»Wir haben noch jemand mitgebracht«, sagte Vater und schob Hubertus in das Licht.

Der starke, graue Mann begann zu zittern. Er nahm seinen Sohn in die Arme.

»Hubertus!« rief Tante Bärbel. Sie hatte ihren Sohn sofort erkannt und eilte herzu. Die Bienmanns standen vor der Tür und freuten sich mit.

Dann wandte sich Hubertus um und sagte: »Kommt. Ihr seid jetzt hier zu Hause.«

Die Bienmanns aus Leschinen waren die einzigen aus der großen Familie, die es geschafft hatten, sich zum vereinbarten Treffpunkt Berlin durchzuschlagen.

»Was mag aus den anderen geworden sein«, fragte Onkel Georg. »Ob Thomas seine Werkstatt rechtzeitig verlassen hat? Ob Grete und die Kinder noch leben? Ob Katharina durchgekommen ist?«

»Wißt ihr noch, wie wir bei der Goldhochzeit der Eltern noch alle fröhlich gefeiert haben? Vierunddreißig Bienmanns in einem Haus, hat Mutter stolz gesagt.«

Lange saßen sie am Abend noch beisammen. Onkel Georg entkorkte eine Flasche Schnaps, die er über die Jahre hin gerettet und aufbewahrt hatte, und sie erzählten von vergangenen Tagen und vergaßen für ein paar Stunden die schlimme Zeit.

Es zeigte sich in den nächsten Wochen, daß für so viele Leute eine Arbeiterwohnung in Berlin-Wedding nicht ausreichte. Auch brauchte niemand in einer großen Stadt einen Bauern. Bienmanns kamen zu dem Entschluß, nach Westdeutschland zu fliehen. Zu Beginn des Jahres 1946 war Vater eine Stelle als Melker auf einem Hof zugesagt worden. Eine Wohnung wurde gestellt.

»Über ein Jahr sind wir unterwegs«, sprach Vater, als sie

am 8. Februar 1946 in Westfalen den Hof des Bauern Bergschulte betraten.

»Ich wünsche, daß Haus und Hof Ihnen ein Stückchen Heimat werden«, begrüßte sie der Bauer am Hoftor.

Sie sahen das kleine, rote Ziegelhaus in der Abendsonne liegen. Hoch über das niedrige Dach hinaus ragte ein mächtiger Eichenbaum.

Vater dachte, werden wir je sagen können, hier sind wir zu Haus?

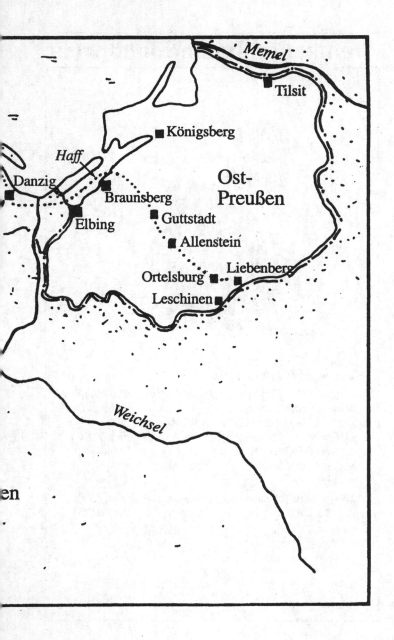

Deutscher Jugendbuchpreis

Willi Fährmann
Der lange Weg des Lukas B.

Im Jahr 1870 bricht der 14jährige Lukas Bienmann mit seinem Großvater aus ihrem Dorf in Ostpreußen auf, um in Amerika das Geld zu verdienen, daß zur Deckung der Schulden seines verschwundenen Vaters notwendig ist. Schon auf dem Schiff entdeckt Lukas Spuren von seinem Vater. Er beschließt, ihn zu suchen.

„Fährmanns Roman beweist, wie aus Geschichten Geschichte gemacht werden kann." (DIE ZEIT)

344 Seiten. Gebunden. Mit Illustrationen. Ab 13

Arena

WILLI FÄHRMANN

Willi Fährmann
Zeit zu hassen, Zeit zu lieben

Paul, ein Sohn des Lukas Bienmann, erkämpft sich
seinen Platz weit entfernt von der Heimat Ostpreußen
im besetzten Ruhrgebiet.
Ein Roman vor dem Hintergrund der ersten Jahre der
Weimarer Republik.
Ausgezeichnet mit dem Preis der Leseratten des ZDF.

320 Seiten. Gebunden. Mit Illustrationen. Ab 13

Arena

WILLI FÄHRMANN

Willi Fährmann
Kristina, vergiß nicht...

Kristina kommt mit ihren Angehörigen als Spätaussiedlerin aus Polen in die Bundesrepublik. Herausgerissen aus ihrem Freundeskreis, machen ihr vor allem Vorurteile und Ablehnung zu schaffen.

„Kristina macht jungen Menschen deutlich, wieviel Menschlichkeit dazu gehört, die Freiheit in einer demokratischen Gesellschaft lebenswert zu machen."

(Die Welt)

Ausgezeichnet mit dem französischen Jugendbuchpreis *Grand Prix des Treize*.

224 Seiten. Gebunden. Mit Illustrationen. Ab 13

Arena

WILLI FÄHRMANN

Willi Fährmann
Der Mann im Feuer

„Kein Zweifel: Da ist ein packendes und zugleich
immer wieder nachdenklich stimmendes Buch, das
man lange nicht aus der Hand legen kann – eigentlich
gar nicht, ehe man es nicht zu Ende gelesen hat."
(Alfred C. Baumgärtner)

„Den schnöden Alltag von Schwerarbeitern zu
erzählen, daß man lesend gar nicht genug davon
bekommen kann! Es grenzt wahrhaftig an Zauberei."
(Albert von Schirnding)

296 Seiten. Gebunden. Ab 13

Arena